C000231008

Contents

(Poems in Alphabetical Order)

** Non-alphabetical for reasons stated on page*

List Of Sources

(Key to where previously published or recorded)

CG – Cumen and Gannin (1977)
HN – Here Now
IR – IRON (1973)
LS – Limestone
Na – Northumbriana (1975-96)
NM – Northumbrian Miscellany (1978)
NV – Northumbrian Voice (1978)
PNE – Poetry North East (No.2, 1975)
SO – The Sense On't (1973)
UP – Unpublished.

Fred Reed's Poems

Let me own up and say that I had not read the poetry of Fred Reed for many years. Though I wrote about him and his work---more than a generation ago---and though he was someone I referred to in any discussion of the roots and local riches of British poetry, the usual avalanche of new and obligatory reading had cut me off from him.

My loss, as this re-reading confirmed. He is a poet whose words speak aloud from the page. Would that be the case had I not met him or had I not spent time working in the North-East and becoming familiar with its dialects? I can't answer that---but I do think that anyone with an ear can hear. What I can say is that I am grateful for both opportunities---meeting Fred and interviewing him as I did, was a privilege---my time in the North-East was one of the happiest in my life.

You can list the titles of Fred's poems and make a sort of sense, raise a smile, promote an interest. Or just take the first lines of two of the poems in this collection:

> "*Aa once bowt two plump hens at Ulgham*".
> and
> "*Aa'll nivvor find success Aa doot*".

Then would follow a tale like those half-remembered from primary school where the dopey boy set off to market with two plump hens and came back with a painted stone he'd been told was gold.

Or how about: "*Bamburgh Wind*, "*Battlefield*", "*Brazen faces*". Out of these three poem titles, a new one is born and you can see the faces on the clear sands under that rock fortress of Bamburgh, the sea wind whipping the skin, a setting sun blazing its glow.

That may be a game but it is, I think, an indication of the strength and clarity of Fred Reed's poetry and its power of lift off. It takes you into its own world immediately. It can be a world which is deeply moving. I think of Aald Dyevison's 23rd Psalm which I heard Fred recite. Even the memory prickles the back of the eyes. John Davison, a septuagenarian, working in North Seaton Pit in the First World War would recite his own version of biblical passages down there in the total dark.

> *"For ye are wiv us! Yor rod comforts us,*
> *An' teaches aall of luv's felicity.*
> *Heor in the midst of dangers noo Aa thrive,*
> *Me tyeble strewn wi' plenty . . . "*

And all that sunk below earth bound by coal.

There are tender poems---"*Beech Tree*"--- which would not disgrace Thomas Hardy; funny poems---"*Poachin*'"---wise old poems---"*Success*"---story poems---"*Whitley Bay*"---and poems about the language itself---"*When a Northumbrian speaks t' ye, ye see*".

Language is all in all to any writer, and Fred was most comfortable and most prolific in the dialect around Ashington, that remarkable town, seamed with talents of all kinds. He was a miner there, edited the Colliery magazine and through Ashington he became the embodiment of Northumbrian verse in this century.

He would all but sing his poems and even those of us without a smattering of the North-eastern tongue can find a tune there.

There was a time a few decades ago when dialect seemed to be headed for its final graveyard. Everybody said so. Like tribal languages in New Guinea, it would go inevitably as the modern world mowed its way through the old lairs.

It has not happened. There are tens of thousands alive now in the North-East who can still wring your heart with a true rendering of the poems of Fred Reed. Not as well as he himself did, of course, but that would be asking for a miracle.

Melvyn Bragg.

Two Tributes to Fred Reed

(On his death in 1985)

Contemporary Northumbrian life has been diminished by the death of poet and language publicist Fred Reed, on 31st July, at Stakeford by the timeless Wansbeck, but the Northumbrian roll of honour firmly enshrines his name lastingly, and the future, like the present, is enriched by his splendid verse, and the enthusiasm, research and advocacy he lavished on our sadly undervalued and neglected language. What is irreplaceable, for those who had the privilege of knowing him, or hearing him, is his buoyant, caring, kindly, humorous, warming nature.

For many years a miner at Ashington, he was also for long editor of the colliery magazine, and ardent reader, writer. student and debater. Much of his English verse was published abroad, but, as he turned his attention more and more to the other, very different language of his heritage, Northumbrian, his poetry became well-known in his own community. Even in his 84th year, Fred was still driving here and there to delight audiences with his verse and his voice, and with his insight into the music and magic of the language.

Three published collections, *Cumen and Gannin, The Sense On't* and *Northumbrian Miscellany*, and a record, *Northumbrian Voice*, beside many items in Northumbriana magazine and other publications, have by no means kept up with his untiring pen. He was co-founder and constant supporter of *Northumbriana* during its first decade, contributing a literary editorial, an article of Northumbrian poets past and present, and much of his own verse to every issue.

Scarcely a week passed in recent years without his calling with another sheaf of verse and editorials---stockpiling against this sad time when his active help must cease.

He was a perpetual judge of the Morpeth Gathering Open Verse competition over 18 years, and judged also at Rothbury, Newcastleton and other festivals. He would squander time on constructive advice to budding poets who sought his help.

No wonder that the new Northumbrian Language Society immediately made him its first Vice-President, then the first fellow of the Society, and finally, on his birthday this year, launched an annual Reed Supper. Most happily, the poet, though unwell, was able to attend the first this first commemoration of his poetry and of his outstanding contribution to the heritage of his beloved Northumberland.

In one recent sheaf of his writings intended for the magazine's stockpile there was a small, but very succinct, statement in English. It was written in his familiar hand on a paper table-napkin which looks very much like those provided at the Reed Supper and, still more to the point, there could scarcely be a neater expression of Fred's philosophy---or a more fitting epitaph:

There's no beginning and no end;
We human beings just pretend.
And all things change, but vanish? Never!
The dust of us goes on forever---
And likewise every soul.

Roland Bibby *(Northumbriana 31/1)*

Now that Fred is gone, one word keeps recurring again and again to me---a word which once formed the very foundation of the life we shared, despite the fifteen years of time and sixty miles in distance which divided us. In all he articulated, and all he gave, he was for me my own, my very best *marra*. I am very proud of this.

As the very great lyric poet he was, I'm sure that many more than I must share that rare and wonderful feeling. The word *marra* was commonly used in farming and probably before that in many Border forays, but it was to reach its finest flowering in the mutual dependence, one upon another, of men in the pits---for their very lives' sake.

The poet Hugh MacDiarmid (C.M. Grieve) once remarked to me that Chaucer had used a version of the word, probably *marrowless*, to be without a match, matchless.

In that proper and lovely poetic usage, while remaining your marra and my marra, Fred Reed also stands alone, loveable, incomparable, himself alone---a poet we can call our own, our marra while a poet to look up to and love.

Sid Chaplin *(Northumbriana 31/2)*

Notes on the Poems

Fred Reed was a prolific writer. He also wrote under several pseudonyms. In the course of preparing an exhaustive list of his poems and articles we are still discovering 'new' material. Thanks are due to Peter Mortimer, editor of IRON Press for making the selection of poems for this volume Trying to convey to the reader the sounds of Fred Reed's poetry is a difficult task. Essentially an oral tradition, the Northumbrian language has its own dialects: even Fred's native Ashington is home to two acknowledged variants. A totally phonetic system would be most consistent, but probably quite indecipherable to the average person used to the admittedly erratic conventions of Standard English spelling.

Writing "*bord*" for SE "*bird*" is acceptable, but what happens with SE "*word*", rhyming in Northumbrian with "*bord*", or "*find*" and "*mind*", which in Northumbrian rhyme with SE "*twinned*"?

It is possible, when reading Fred's poems, to see an evolution within his work, particularly when a piece has been published more than once. Fred adopted differing versions of certain words, sometimes to achieve a rhyme, sometimes for other poetic effects, sometimes to convey a modern or historic setting. Certain words are affected by neighbouring vowel or consonant sounds. At times, Fred creates a spelling to echo a word's Anglo-Saxon origin (for example "*leit*" for "*light*", or "*slean*" for "*slain*").

The original publishers of Fred's main collections had differing approaches to the use of the apostrophe at the end of a present participle. A final "*ng*" was always pronounced as "*n*" in Northumbrian, and so a rash of apostrophes across the page might be seen as unnecessary and unhelpful. However, apostrophes for omission are given here to assist SE readers in relating what they see to written forms with which they are more familiar.

We are deeply grateful to Fred's son Raymond to whom we have deferred as final arbiter on these matters. He has used as his yardstick his knowledge of his father's work combined with the current conventions of Ashington speech.

Kim Bibby-Wilson and **Janet Brown.**
Northumbrian Language Society.
c/o Westgate House, Dogger Bank, Morpeth,
Northumberland, NE61 1RF.

Aad Chep

Aad chep feelin' not se good;
Aad chep seekin' firewood,
Aall faculties the warse for wear;
The laangor chill is draain' neor.
Aad chep in the univorse
Hes knaan its blissins 'nd its corse.
B' pain he may smaall cumforts find;
Se seun t' be dust in the wind.
Ye wundor whaat it's aall aboot,
But let ne man his faith refute.

Aad Dyevison's 23rd Psalm Paraphrase

(Mr. John Davison, a septuagenarian, worked in North Seaton Pit during the First World War. He would sit in utter darkness and recite his versions of Biblical passages. The paraphrase is an attempt to record his version of the Psalm.)

The Lord's maa shepherd; he tyeks care o' me.
Aa lie in pastures of tranquillity
When orth is wiv its springin' joys bedecked,
An' the still wettors of me sowl reflect
The panoramas of his cosmic luv
In minglin' glories spreedin' wide abuv.
For His nyemsake the paths of righteousness
Aa treed wi' sowl restored, nor cud care less
When Deeth his shadas ower the valley croods
And evil lorks 'n' feor in vain intrudes,
For ye are wiv us! Yor rod cumforts us,
An' teaches aall of luv's felicity.
Heor in the midst of dangors noo Aa thrive,
Me tyeble strewn wi' plenty. As Aa live,
Me cup runs ower wiv its thenkfulness
That aall me days yor luv each hoor'll bliss,
Me hairt 'n' mind ruled by a peace divine,
For goodness, grace 'n' morcy will be mine,
An' when me spirit flights its way t' ye,
Wi' ye Aa'll dwell through aall etornity.

Aad Wife

"Ee, but Aa'm feelin' queer! Aa'm not jist bad;
It's such a funny kind of bein' caad.
It's warse nor bein' trubled wi' me pains ---
Jist like caad wettor runnin' through me veins.
If this had been the morn Aa'd had me pay.
Mebbies Aa shud hev eaten mair the day.
Aa mind when we war bairns we'd aall gan fuzzy
Spinnin' roond t' mek worsels gan duzzy.
Aa hev that whorlin' feelin' jist the same.
But Aa'm not young 'n' this is not a game.
So heor Aa'll stop. Aa've got t' keep me seat;
Wi' stannin' up wi' duzziness Aa'm beat.
Wi' them few coals the fire shud be on.
Aa've kept them for a welcome for young John,
Me dowter's bairn. The morn's morn he'll be here
An' draa me pension. Aw, Aa de feel queer!
Thor's such a funny drummin' in me heid.
Aa think Aa'll jist craal ower t' me bed.

Aa once bowt two plump hens at Ulgham

Aa once bowt two plump hens at Ulgham*
An' sum sage 'n' reed onions t' stulgham.
Five sat at the tyeble,
So hoo wus Aa yeble
T' give each a leg 'n' not hulgham?
(*Ulgham is pronounced "Uffam")

Abbey Ruin

Site of a strange rapt hush in the green glade;
Mebbies the aura of sum dreed event
Aall unrecorded in wor hist'ry beuks.
Whaat dis the bord knaa that his throat is dumb,
Aalthough he'll scattor silvor melodies
Alang the pathway wendin' ti the stream
Abeun the hoary beeches? Listen noo!
Is it the quiet uttorance of leaves,
Or muffled voices in the Evensong?
The shades seem dark 'n' yield a creepin' chill.
Cum, shut yor eyes 'n' stare. Whaat de ye see?
Aw, Strangor, wait 'n' tell! Why hurry on?

Abeun Chollorford

Gan look doon frum the Militarry Road
Which Roman officers se lang sin' strode,
Forrivvor schemin', but for little worth,
Hoo t' subdue the wild barbaric North;
An' theer ye'll see whaat words cud not define,
The beauty o' the tree-waaed Northern Tyne,
Nee mair reddened wi' claymore an' sword,
Glintin' i' the sun, frum Chollorford.
The wettor movin' wi' a stately gait
T' gan 'n' join its Alston Common mate,
As luvly as itsel', the Sooth Tyne wettor.

An ailin' Fairy

An ailin' fairy, aw se fair;
T' speculate Aa hardly dare.
Little Rosie, is she gyen?
The cooslips are still there.

The Ancient

He's varry owld.
The hillside torrent tarries in the pool
And it is cool wheor orthy depths are still,
Wedded t' the tendor mystories,
Triumphant transformations in the skies.

Angle Warrior's Farewell Paraphrase

Strife's lust 'n' frenzy noo Aa feel ne mair.
Yon axe, once leit, me aad airms couldna wield.
Time elwis claims the final victory.
When rompin' in its singin' course blud soonds
Its drum-beat invocations t' youth's gods,
The chillin' tuches of soft-footed Deeth
Are ivvor feored.
The silent vistas of etornity
Elwis are shunned b' youth's waarm visionin',
But life's sequential days lap up youth's wine
Till its reed stream moves languid in its course;
Then faintor drum-beats cease
An' Deeth bestows its highest dignity.
Forst weary resignation rules the hairt,
Then that which once wus shunned
Luv's cumfort seems---
The bosom of a mystery benign
In one immensity of slumeren neit.

Art

Modorn arts in livin' yield us much
An' yit in livin's art we're oot of tuch.

Aw, Aa am blind, se blind until ye speak!

Aw, Aa am blind, se blind until ye speak!
In mists of lethargic monotony,
Until the shaftin' leit, yor poetry
Flows frum the revelations of yor tungue,
And Aa of ancient limb in mind am young.

The Babby's Drum

Yam-a-mum, dooley-n-tuddley tum,
Says wor little buggor. He's getten a drum,
And aall day he's yarkin' it, bum-bum-bum-bum,
An' mekin' the neybors aall grummle 'n' fume,
An' wor Rex'll bark 'n' his Daddy'll bray;
An' neybors'll wish they war shiftin' away!
Me heid's aall gyen duzzy, me pleas are a farce,
And Aa've teun the kittle: Aa'll skelp his young arse.
But theor he jists sits croonin' mum-mum-mum-mum,
An' craain' 'n' gorglin' 'n' suckin' his thumb.
The bit bairn's that canny! He's peace its aan sel'!
And Aa say the neybors can aall gan t'---well!
Yam-a-mum dooley-n-tuddley tum!
Gan on, bonny lad, wi' yor drum.

Bamburgh Wind

In 672, Penda, King of Mercia, attempted to burn an early Bamburgh castle by setting fire to piles of wood and brush laid against its walls, but the wind blew, then blew contrary, flames and thick smoke caught his camp, and he was obliged to raise his siege.

Nebody knaas the will o' the wind
And its wilful vagary;
It caresses wi' luv, or screams wi' hate;
Unpredictable as can be.
Which airt it'll choose ye nivvor can tell.
It might cum howlin' wi' glee,
Upruttin' trees---an' then ripplin' the corn
Like a sea in sorenity.
So divvn't hatch schemes like yon King Penda did;
In wind's pooer he put his trust,
But it torned on him wi' its thick blindin' smoke
An' the flames of devourin' lust.

Battlefield

Heor where the soil's enriched 'n' het blud ran,
Ranunculus 'n' dayseyes are profuse.
A macabre wind bemoans the plight of man,
Aad passions 'n' porvorsities in truce.
Them ancient days knew grim, precarious life.
Racked by blud-lustin' hate 'nd endless strife.

Beech Tree

Yor leaves hev gyen wi' the wind
That chills the rumps o' the kine.
Aa wish it cud blaa memories
Frum this dull hairt o' mine.
Aye, coontless times yor gowlden leaves
Hev drifted doon t' rot,
An' mony a man 'n' mony a maid
Are gyen 'n' soon forgot.
Dumb pains, glad trysts, waarm ecstasies.
Aa had a slip of a lass,
But noo she sleeps belaa ye heor
And Aa weep in the grass.

The Bigheid

He's the aakwardest bloke Aa ivvor knew---
Even flouts the Highway Code,
And insists on his freeborn reit t' drive
On the suicide of the road.
When in the army he used t' sing
"It's a short way t' Tipperary".
He'll not even eat whaat agrees wi' him,
He's that aakward 'n' contrary.

Bingo

Ha! Bingo! Bingo! It's a word for me
Like Ali Baba's "oppen sesame,"
And one-time cinemas noo howld delights
An' witchin' spells like them Arabian Nights,
Wi' "Kelly's-eye" 'n' "Hoose" 'n' "Legs-elivvin"
Fair music soondin' in a blue-smoke hivvin,
And Aa'll howld up me bingo card some day
An' knaa at last a trissure's cum me way.
Back hyem the fire should be oot, Aa think.
And aall them dorty dishes in the sink!
Me bairns, locked oot, are playin' in the streets,
An' cowpin' bins 'n' hoyin' styens at leits.
Aa knaa some folks'll blare, "Ee, whaat a shem!"
But Aa've a reit t' plissures syem as them.
Whaat? Drama? Beuks? Good music? Poetry?
Ye Gimmor! Whaat's this poor world cumen tee?

The Bit Bairns

Like voices frum a distant spheor
Dimly hord,
Or like an echo far, uncleor---
A muffled word,
Aa heor the bit bairns at theor play,
Rapt, excited in youth's way.

An' memories gleam like het teors
On cheeks at dawn,
The wistful echoes the hairt heors
Of days long gyen
When play's pretence wus high delight,
Wi' minds in euterpean* flight. (*Utopian)

Grown owld amang me hopes 'n' feors,
Aa live the minutes men caall yeors,
An' dream of youth when we cud be
In the minute's etornity.

Boredom

Yo're bored? Wey, clim' a tree;
Waalk barefooted o'er a lea;
Plodge aboot doon in the sea;
Clim a green hill. Ye'll seun see.

Borth

When Aa had me forst bairn
An' forst Aa hord him cry,
Sic a pity filled me breest,
An' yit Aa smiled, until he ceased,
An' then Aa wundored why?
An' felt a deep alarm
That suddenly he'd gyen see still.
Aa prayed for him wi' aall me will
"God, save him frum aall harm,
Ti him yor strength please give
An' let him cry, but let him live".

When Aa forst fed me bairn
An' felt his eagor suck,
Such a floodin' filled me breest
Wi' love and gladness, till he ceased,
An' then Aa wundored why,
An' felt a deep alarm.
Until he sorched 'n' sucked agyen
Till he waas full, an' that waas when
Me prood hairt felt see warm,
As wide he gyeped, begun ti nod,
An' me, jist waatchin', felt like God.

Brazen Faces

We dandered roond bi Gallowget
When us went ti the toon
Nineteen hundred 'n' sivinty eight
On a Seterda efterneun.
Skinheads, yakkors, lud-brained louts,
The tousled haired disgraces,
Aall gannin' in ti St. James' Park
Ti show wor brazen faces.

Oh, me lads, ye shud hev hord us yellin',
Offensive blue 'n' blasphemous
An' crude abeun the tellin'.
A bunch of hooligans ti blare
Aall wi' brazen faces
Ti mek folks wundor whaat the future
O' the human race is.

Bright Damnation

Thi rapist ran for shelter
Belaa a mighty tree.
A flash o' bright damnation,
An' nee mair theor waas he.

The Bumlor

Biz-z-z-z-z-z-z!
Humblebee, bumblorbee, buzzily busy,
Bumblin' 'n' grumblin' aboot,
Lowpin' 'n' swoopin', in gay posies snoopin',
An' pryin' 'n' powkin' yor snoot,
Wheelin' 'n' lorchin', for whaat are ye sorchin',
Ye busy-body bumblor?
Wi' gowld upon yor velvet robe
An' nectar sweet wheore'er ye probe,
Whaat meks ye such a grumblor?

Byways t' Flodden

Aa see wor luv'ly byways t' the Border,
The fresh green fields of armoured clash 'n' mordor.
Aa see the trees on once-baald Flodden hill,
An' Surrey's vanguard on the broodin' Till,
Pike-wieldin' hosts roond James 'n' Howard theor,
An' bluddy deeth amang the scenes se faior.
Aa heor the screams o' battle, hate 'n' pain,
An' shuddor at sic loss for tittle gain.
But man, for ivvry sweet Northumbrian field
Theor is a tale o' men that wadn't yield,
Of high alarms, or raidors frum the sea,
Or doon frum Scotia, spreedin' misory.
Se often folk frum slumber wad arouse
When dragon ships skimmed in wi' corvin' prows.

The Caallors

Youth cum gaily bangin' on me door
An' stayed 'n' danced 'n' sang 'n' laughed 'n' swore.
He says, "Aa've cum t' stop a little while.
Away wi' cares!" He cud se well beguile!
But aw! jist when Aa wus se bent on play,
Aa fund that secretly he'd slipped away!

Luv cum timid flittin' roond me door.
Aa says, "Aa'll keep this bord for ivvor more.
The luvly coloured thing se sweetly sings;
Such harmony inta me fond hairt brings."
The sweet thing sang, "Aye, Aa am heor t' stay."
Then of a sudden it jist flew away.

Theor cum porsistant knockin' at me door.
It wudn't stop aalthough Aa did implore.
"Look," Aa says, "Aa feel se tired 'n' worn.
Cud ye not caall aroond agyen the morn?"
But naw, the caallor wadn't gan away.
"Aa cum t' aall," he says. "Aa'm heor t' stay!"

Castles

Wo're left wi' ruined castles 'n' wor boasts
Of valiant sires, 'n' coontless broodin' ghosts
Whisporin' aroond each ancient tree
That beautifies wor hairt's-ease scenory.
For centuries reed hate knew ne decline.
Northumborland waas aye a war's frunt line.
Wor battlements of courage stood it aall
Though fortresses 'n' castle yetts might faall.
Aye, see wor castles. Ye'll stand in amaze
T' catch the glamour of theor ancient days
Still lingorin', the sylvan scenes owercast
Wiv aall the atmospheor of times lang past,
When pooer-lustin' claimed nobility,
An' brutal force lip-sarved t' chivalry.

A Chep i' the Shambles at Alnwick

A chep i' the Shambles at Alnwick*
Got inta a reet blue-streaked palnwick
When the ghost o' Jim Rand,
Wiv hees heed in his hand,
Fleeted roond him reet weird 'n' satalnwick.

(*pronounced Annick)

Christabel

The Clennel village is ne mair;
They cleored it in theor wark
When they war mekin' Clennel Haall
Its gardens and a park.

Hev ye hord tell of Christabel,
A wife of Clennel Village?---
A place nigh hand the owld "Thieves Rode"
Wheor rogues cum doon t' pillage.

Roond Alwinton 'n' Biddleston
T' Hepple Barony,
Time folks teuk t' theor stordy tooers
T' bide in misory.

A sunny man had Christobel.
She danced wi' him a reel,
An' they wor wed 'n' set t' bed,
An' she aye luved him weell.

But time they tarried up the born
In the gloamin' of a day,
Sum stealthy reivors copped them theor,
And in a wild affray

Her sunny man gov' up the ghost,
An' she wus raped reit sair
B' nine crass reivors each in torn
Time she lay stunned 'n' bare.

When she got hyem aall folks had fled,
But Christabel wud stay
T' plot revenge upon the sods
When they cam back that way.

And on the green she lit a fire,
Put on a thumpin' stew
Of coney, foxgluve, divvil's puffs,
Disguised wi' acrid rue.

The reivors mekin' hyemward then
In the reed leit of new day
Saa the fire 'n' smelt the stew,
An' tarried on theor way.

Aye, they dined hungrily 'n' weell,
The feuls, upon the stew,
An' time they writhed in agony
Each one in torn she slew!

The Citizen

TV for me. Neit eftor neit
Wi' eyes fixed on the box
Aa tyek me harmless plissure though
The whole creation rocks.
Ne reachin' oot, ne rebel's ire,
Ne frenzy t' create.
Aa jist sit on me dowp 'n' bowk
An' dimly vegetate.

The City

Aa think sum blokes war suppin' ower much beor
When they thowt up the nyem of Tyne 'n' Weor
T' amputate wor Coonty frum its Toon,
An' yap, "It's an administrative boon."
Nowt the kind! Folks think it's such a pity
T' see Northumborland hes lost its city,
The hub of wor brave Coonty's history,
An' wor tradition's hairt. They tyek the gee,
The Toonies, when the plannors noo declare,
"Ye blokes are not Northumbrians ony mair!
Though ye've been part of it since the year dot,
The ancient kingdum must disown ye lot.
Forget Northumbria's glories. Sup yor beor,
Ye wettor babbies of the Tyne 'n' Weor."

Colliery Toon (also called *Sweet Vortues*)

Theor's ne mair oppen middens,
Few netties ower the road,
Ne mair endless tewin' shifts
Wi' penury the goad.
But hev wuh lost sweet vortues noo
Of wor advorsity?
Wheor are the waarm 'n' bindin' ties
Of tight community?

Times wor storn, work days wor lang,
An' wages varry smaall,
An' modorn age 'n' luxories
They wor not knaan at aall.
Whaat med it such a happy plyece,
This ugly toon of yore?
For aall the raas wi' theor ash woods
A dismal aspect wore.

Smoke drifted frum the stinkin' heaps,
Street lamps a dreary gleam,
Dronin' buzzors soonded oft,
An' pits se deed wud seem.
But folks wud greet ye thus: "Whaat cheor?"
Se kindly and se true,
An' neewheor in the world cud ye
Hev fund a happier crew.

Ay, times hev changed, but so hev folk,
The aad 'uns will agree.
Where are the waarm an' bindin' ties
Of tight community?

Common Incident

Moegden runnin' ower the meada,
Through the wind 'n' t' the sky,
Pantin' heavy inta shada,
Chased theor by the Dane's glee-cry.
Lust depreciates aall trissure,
Hor lang loss for his brief gain.
Damn his thumpin' hairt of plissure,
Aw, hor leaden hairt of pain!

Stands the Dane up in the bushes;
Wild boars heor his laughter lood.
One nigh-hand upon him rushes;
It's his torn t' be porsued.
Foul Dane fleein' ower the meada
Through the wind 'n' t' the sky,
Theor t' faall in deeth's dark shada,
Wi' reed agony's last cry.

Continuity

Yistorda is nivvor ended;
Aall its pains 'n' joys are blended
In the spirit of the hoor,
By luv's grace 'nd in luv's pooer.
By the bloom lang past decayed
Aall the future is arrayed.
That lang past which men coont deid
Noo lives a hundredfowld insteed.
Which is real 'n' which are dreams?
Life is only whaat it seems.
Whaat are ye save whaat ye think
On hell's threshowld or hivvin's brink?
This ower late maist feuls hev thowt,
Save for whaat we luv, wo're nowt,
Save for whaat wuh dedicate
Wor utmost pooers t' create,
Wor hairt proclaimin' it's essential
T' realise wor will's potential,
Or else it's aall a worthless dream;
An instant glint upon life's stream
That aw, se swiftly rushes on
T' cavorns of oblivion,
Wi' nowt t' be remembored by
Except these words: "He didn't try".

The Craa

Aa smiled when the aad craa porched
Theor on the scarecraa's arm.
Both knew he awaited oblivion
An' nowt cud de him harm.

Cumen and Gannen (also called *Arrival and Departure*)

One corpse filled wi' will
Cums totterin' doon the lane
Wi' sic a detormined mien
It frightens ye!

A skeleton stored wi' pain --
Arthritis gnaas hor byens.
An' theor's the wind 'n' rain,
Bad laddies hoyin' styens,
An' puddles she must plodge
Wi' lang-worn slipshod shoon,
Rumbustious bairns t' dodge
An' numbness in hor croon
Aroond one star of thowt.
It seems the screamin' pain
T' hor means nowt.

The day seems short of air,
Theor's agony in hor chist
And aall doon one thin airm.
Hor specs are aall amist.
An' wheor hor calves should be
Th' blud's not gettin' through
T' ease the achin' cramp
'Neath veins of darkest blue,
Aall bulged 'n' hard.

But for the tewin' wind
She cud put up hor gamp.
Hor consciousness is blind
But still one thowt's a lamp.
Theor'll be dire consequences ---
The woman knaas that fine ---
As threeds of icy wettor
Gan tricklin' doon hor spine.

Yit in hor hairt's a sang
Not hushed wi' misory
As granny moves alang
Se inexorably
T' heor hor new grandbairn
Cry oot its lood protest
That wi' the gift of mortal life
The poor thing's jist been blissed.

The Cynics. (See also *Undorstanding.*)

The cynics? They're withoot humility.
The self-sufficient tyek the wayside rose
And one b' one its silken petals shear
T' prove it hes ne beauty t' disclose.
Men dip a finger in the flud of change
An' lift one drop t' give identity
Wi' sum invented word.
It is as strange
T' lift a roond note frum a symphony,
And in its vain repeatin' ower and ower,
Forget its complement within the score.

Daisy Gairl

The deep pool of hor innocence lay calm,
The canopy of space reflected theor.
The meada waas a wide pacific balm,
Each oppened daisy supornally fair.
Hor little form poised theor se motionless
In wundorment, the soft lines of hor fyess,
Cud in abysmal beasts rouse tendorness,
An' cravin' for a tuch of hivvinly grace.

Dark Lonnen

Doon wheor it tyeks a sudden torn
An' then dips steeply t' the born,
Aa hord lood footsteps in the neit
Ower the footbridge, 'n' teuk fright,
For moonleit laid the yell scene bare
But Aa cud see neebody theor!
An' then Aa hord a wild voice toll,
"Please, God, hev morcy on me sowl!"
Me blud torned cowld, the leit went red,
And in a panic blind Aa fled.

Dayborth

A gowlden leit fluds ower the hills,
The sky wi' hivvin's colours fills,
A rapturous sonance sweet 'n' soft---
A lairk inspired hes gyen aloft,
An' wheor the troot leaps frum his lair
He hoys bright diamonds in the air.

Dialect

The Scotsman thinks his Burnsian tungue divine;
The Welshman luvs his language; Aa luv mine.
Sum think theor tungue should be refined.
Aw aye,
But divvn't let expressive speakin' die.
And onyhoo,
Beauty of soond is in the list'nor's eor.
A frog aye howlds anothor's croakin' deor.

Diddle Diddle

Hey diddle diddle
Me Dad's on the fiddle
An' signin' on for the dole.
But they'll find him oot
An' he'll get the beut
For floggin' his cheap sea-coal.

Dreams

Dreamin', ye say? It's me that is awake!
The realist slumbors deep
Within his obsessed compass.

Duelinlea

In a woodland, in a cleorin'
Wheor a shalla wettor lies,
Smoke-blue mystic shadas wearin'
Roond its deep invorted skies,
Colour dramas of high places
Are reflected theor belaa,
An' the spells of hivvin's graces
In the sunset's efterglow
Faall upon a dumb behowldor
As he wundors, stannin' by,
Till the ev'nin's tuch gets cowldor,
An' he'll eloquently sigh
An' retorn t' worldly knaain',
Like awakenin', as a breeze
Wi' the leitest tremmle blaain'
Gies a tungue t' silent trees.

Then a voice seductive, caallin',
Whispors on the list'nin' air,
Movin' oot wi' darkness faallin'
Till its tones are ivvrywheor,
Soothin' silken, softly sayin',
"Aw, me hairt, ye've cum t' me!
Lang Aa've waited, fretted, prayin',
Tyek us, Lord, t' Duelinlea".

Noo bewildored, he that harkens,
Dootin' noo t' trust his ears,
Stares aroond a scene that darkens
An' bestors the strangest feors.
Quickly noo he quits the cleorin',
Withoot shem the noo t' flee,
Yit accompanied 'n' heorin',
"Tyek us noo t' Duelinlea!"

Wiv a breathin' heavy ower him
Though se horried he may be,
Still he heors the voice implore him,
"Tyek us back ti Duelinlea!"
When wi' breethless body swayin',

Frum the woodland winnin' free,
Then he ne mair heors hor sayin',
"Tyek us noo t' Duelinlea!"

Ax the natives. They'll just tittor,
Then as gravely as can be,
"Bliss ye, Sor," you'll heor them twittor.
"It's jist a ruin, Duelinlea."

Echo

Aa'm hikin' ower the hills,
Hikin' ower the ills,
High king

Faallen Leaf

Leaves, they whispor faintly ower me heid.
Before me, on this fence, one, gowld 'n' reed,
Gyrates 'n' fluttors lightly t' the stream,
One leaf, noo deid.

Gowld 'n' reed, the spirit 'n' the clay,
The withored form, once green in youth's array,
Faalls orthward 'n' time's stream bears inta neit
Its swift decay.

Hoo deid? Theor's still a thowt in things se slight
That still might stor us wiv its bridth 'n' might.
See noo! It floats a barque in mirrored leit,
The infinite.

An' though the mind's brief worldly aim will see
The shalla stream's orthbed, reality
Is that reflection of itsel' in truth,
Mind's infinity.

Gowld 'n' reed the clood, the sky, the gleam
Ower hazied poppied cornfields, on the stream,
Gowld 'n' reed the world of livin' leit,
A transient dream.

Fancy

In use of fancy, lad, he's aw, se wise!
He can mek a trickle a Niagara.
He jist forgets aboot a thing caalled size.
But worldly woes that put him in a pickle,
He jist forgets they are the merest trickle.

Farm Maid

Wey, she's plain 'n' dull,
Yit the high season's charms within hor sleep.
If she wus sure Aa thowt hor beautiful,
That she wad be!

Fifty Yeors Sin' Noo

Fifty yeors sin' noo,
Aa saa ye hyem wan stormy neet.
The hoolin' wind blew oot wor leet,
But kindled then a stiddy flyem
That in worsels borns jist thi syem
As fifty yeors sin' noo.

Folly

Ho-ho! the hedges lowpin'
Aall drunken in the breeze!
The lowerin' cloods aall cowpin'
Theor wettor ower the leas.
The wind, the wind, the gollarin' wind
Stampedin' doon the swally,
Blaas up the skorts roond hor reed heid,
The bonny buxom Polly.
Aa clutch me cap 'n' grin 'n' gyep
An' wind 'n' thowts are folly.

Fondness

Aa've been ower fond ower often. Silly man!
A fond, ower-ready victim as a rule.
Each disillusionment hes seen us gan
Defenceless once agyen t' play the feul.
Yit in me secret self Aa'm weell content
That t' luv's waarm illusions Aa respond.
Me fondness while it lasts is hivvin sent,
An' he's the feul that nivvor can be fond
Save o' hissel'. Aa think that's hell's intrusion
Inta a hairt that lives on luv's illusion.

The Fox

Aa catched a glimpse of pure conceit
In a wild fox's eyes
That stared at me, aw, brilliantly---
Contempt---careless sormise.
An' then, heid doon, he minced away,
Sagely preoccupied.
His trivial intorest in me
Aall in that one glance died.

Frum Corby Crags

This view's spreed in the luvliness of luv,
Labour, hope 'n' seasonal fruition,
Wheor revorent daybrik dramas sweep the mind,
The days are saranades t' rural peace,
Toil's composures in the ev'nin's drowse
An' neit's rejuvinations are sublime.

Fulfilment

"Ye spend haaf yor life on dressin'," he sayd,
An' she sayd, "Wey, yon's quite essential.
The useful thing is nivvor complete
Until it's med ornamental."

Gale Ower Withorby Farm

Marrily ower the meadaland
    T' spark the farmor's dowtor.
Sic a sorcoress wus she,
    And aall het up, Aa sowt hor, ---
Eyes that hoyed theor dazzlin' stars
    Me wits t' put t' flight,
Vorve 'n' grace t' captivate,
    Dimples t' delight.
Hor faathor wus a struttin' clump
    Of absord dignity,
Suspicious of hor sparkors, and
    Especially of me.
Aa met the lassie up a tree
    Abeun the placid pond,
But t' enticements t' cum doon
    Wi' giggles she'd respond,
And as Aa tried t' clim aloft,
    A fond 'n' fulsome chump,
A dazed branch sevored frum the trunk
    T' dump us on me rump.
The wind got up in marry mood,
    Aall eagor t' hev fun.
He lowped abeun the chimney pots;
    He med sum deid leaves run.
The aad coo torned hor back on him,
    The ruffled dog cum pantin'.
The haathorns danced like dorvishes,
    An' grass 'nd oats grew slantin'.
Wi' whaat alarm the wyandottes
    Off t' the barn skidaddled!
But, nonchalant, the ducks quacked on,
    And ower the whipped pond paddled.
Whiskorando, aad black goat,
    Boonded whiskified,
But cudn't butt the bluffin' breeze
    Aalthough the gimmor tried!
Abuv the beeches corclin' craas
    Squaaked lood in constornation.
The stallion wheeled 'n' pranced aboot,

Deep noddin' conformation.
But aw! whaat pleased the wind 'n' me
An' set us in high glee,
The homin' farmor lost his hat,
An' specs, 'n' dignity!
And in the tree hor majesty
Noo had ne heid for height,
But wilted on the wind-whipped bough,
Submissive in hor fright.
Asway amang the greenory,
Wi' whaat grim zest she clung t' me!

Gannen Back

Aa'm gannen back t' the heathory moonds
An' the trillin' melodious bords,
And once agyen Aa'll be bewitched
By the soond of me native words.

The Gatesheid Monk

In six-hun'red 'n' fifty-three
Theor wus built a monast'ry
Reit up aheight on aad Caprae Caput.
Bruther Uton wus made Abbot.
Aall his monks wore waarm broon habit
An' sum wore sandals 'n' sum went barefoot.
And on goats' milk they wor fed.
One monk by the divvil led---
At least that's whaat he thowt,
The blissid man---
Slew a goat t' brik a fast,
Then the poor sowl stood aghast,
An' cried, "Aw Lord, forgive us if ye can!"
An' he grieved for mony a day,
Hungored lang 'n' pined away,
Aalthough Utan sayd, "Bruthor, it's ne sin.
Goats 'n' fish should men sustain,
Like the horbage 'n' the rain,
God-given, 'n' t' tyek wor plissure in".
The monk sayd, "Thou shalt not kill,

Or ye'll de the divvil's will.
Aa think aall men wor meant on grass t' feed."
Thus he wad the scripture quote,
Haanted by a bludin' goat
Till doon he lay, wus shriven,
An' he deid.
Aall the monks med sic a sang,
Argued volubly 'n' lang.
An' sayd wus theor poor bruthor feul or saint?

Ad Caprae Caput, 730, Bede. 1170 Gateshaphed. 1190, Gatesheued. "Headland or hill frequented by goats".

The Gibbet

Hing the heathen! Hing him high!
See him dangle i' the sky!
See the yokkels stare 'n' gyep
When the rope bites in his nyep.
Heor the donnarts laugh 'n' sing
When he starts t' kick 'n' fling.
Lator, when the folks gan by,
Sum'll sniggor, sum'll sigh.
Black his nostrils 'n' his eyes
Wiv a swarm of hungry flies.
Haak him doon. Lop off his heid.
He'll not bleed much noo he's deid.
Waste not, waant not; theor's ne shem;
Pull his breeks off; tyek them hyem.
Wheor's his sowl? Nebody knaas.
Hoy his body t' the craas.

Gigglin

The sun wus het. Aa fell asleep
Fornenst a rivulet,
And in a luvly porple dream
A lassie's form Aa met.

Aa dreamed it run away frum us
Amang the hillside bushes,
And it wus gigglin' aall the time,
An' dodgin' me vain rushes.
Yo're gigglin' when Aa tell ye this---
The lassie disappeored
And Aa wok' up. The rivulet,
It giggled 'nd it jeered.

Gladness

Aa'm glad! Aspraal up heor on this high hill,
Awareness drinkin' deep each sight 'n' soond,
Clood-forms in pomp aall driftin' ower the blue,
And aall the song 'n' colour of the scene
Immorses us in gladness.
The trees are weshed 'n' varnished for the sun.
Sunshine porsues 'n' glistens on the grass
When shadows of the cloods race ower the hill,
And ivvory tree, a mob of dancin' leaves,
Is a thing of tremblin' joy, as is mesel',
While the roond orth spins across the endless blue
An' hortles on inta infinity
Wi' me.

So tiv etarnity Aa speed me way
Loiterin' jist a minute on me way,
An' bein' glad, Aa tyek the joy wi' me
Inta the endless reaches men caall time.

Glee Days

Aa'm free of care on this Northumbrian hill
On glee-days when the wet wind's singin' dorges
Bluff on me eor, 'nd one tree's happy skill
Brings inland soothin' oceanic sorges.
Aa close me eyes 'n' let the wild winds race
Through aall me sowl's infinity of space.

Gyen Mist

Hor mantle noo the neit must lay aside,
A hivvinly grace revealin', for on high
An' full 'n' splendid see the full moon ride
Ower the jewelled myst'ry of the sky.
Whaat music sings the shada-haanted sea!
A hymn of hivvin borne upon a breeze
That brings a kiss of welcome heor t' me,
Time still afore it far the white mist flees.
It's hivvin itsel' Aa tread wi' stars' escort;
Wet sands frum which the tide hes ebbed are bright
In moonleit. Changin' cloods and Aa disport
In yon reflected grace---the infinite.
As when wor teors hev ebbed the hairt'll prove,
In hivvin's reflection, beauty, truth 'n' luv.

Harbour

Cumen inta harbour,
Cumen in t' rest,
Cumen in t' tie up
Wi' the ones Aa aye luv best,
But restlessness it is me will
For Aa'm a bairn of Ocean.
New days' horizons beckonin'
Renew hor son's devotion.

A Harrenbone of Cantles, Peaks 'n' Knowes

A harrenbone of cantles, peaks 'n' knowes
Wheor rovin' sheep 'n' hardy goats noo browse,
Stands Scotsman's Knowe, the Cheviot, Kelpie's Strand,
A backdrop t' fine vistas. Aw, it's grand
T' view the panoramas stritched away
Frum Alnwick Moor. And on a plissant day,
The high green moonds that line the Yetholm Trail,
An' Doddingtun lost in a porple vale,
While doon belaa, green humps 'n' trees 'n' farms
Drowse theor, forgetful of lang past alarms
When neitly husbandmen wad bide awake,

An' wi' wild Scots play cattle put 'n' take.
Heor ye the lusty cries of men lang deid?
Yon hills are greenor wheor they strov' 'n' bled.

Hitchy-Dabbor Pair

When Aa played hitchy-dabbor
Wi' Jemima doon the raa,
We wor the queorest pair o' blokes
The neighbours ivvor saa.
Though Aa'm si bandy-legged---
Aa cud nivvor cop a pig---
A dab hand, me, alang the bays,
Deein' a Heeland jig.
An' Jem waas aaful knacky-kneed
An' pigeon-toed an' aall,
But she stotted hoity-toity
Like an india-rubbor baal.
Noo fifty yeors hev gyen since then,
And us can hop nee mair,
But we're still full of luv an' joy,
Us hitchy-dabbor pair!

Hooseboond (also called *Young Man Confined To Bed)*

When Wendy's hingin' hor weshin' oot
Me vision's joy is absolute!
Hor luvliness limned on the skies
Aa think wud gladden deid men's eyes.
Oh, hoo Aa yorn for weshin' days
To see hor peggin' hor arrays
Of coloureds, smaalls, 'n' nylon sheets!
Man, me impatient hairt intreats
Aad Father Time not ti delay
But put his lazy sel' away,
An' bring back Monda mornin' when
Wendy'll hing oot claes agyen,
And Aa can draa the cortains wide,
Bathe in hor grace 'n' lusty pride;
The dainty way she flicks 'n' shrugs
When wet sheets flap aroond hor lugs.
She bends 'n' swings ti me rapt stare,

Salome, dancin' unaware.
Priestess invokin' winds t' bliss
Sinuous rites of cleanliness,
Wi' lang-john's dancin' in the breeze,
An' knickors, sarks 'n' pink chemise.
Oh, even claes-pegs in hor gob
Canna lithe Wendy's beauty rob.
When hor bare airms stritch ti the line,
Wi' luscious breests in profile fine,
While peggin' up hor pink neet-goon---
An' poor me, a luv-hungry loon.
An' theor's me dream of ecstasy---
Aa think them airms reach up for me.
Me sark's pegged wi' hor neet-goon theor,
And aall me drab world hivvinly fair.
Still, when she hings hor weshin' oot
The joy she gives is absolute!
Hor luvliness limned on the skies
Aa think wud gladden deid men's eyes.

Hungor On A Bus

Men nivvor give a second glance at me!
But Aa wus gettin' off this bus, ye see,
An' sum-one grabbed me oxter frum behind
And eased us doon. Of course Aa thowt it kind;
So on the pavement Aa jist glanced aroond,
But lass, Aa wish Aa hadn't, Aa'll be boond!
For such a hunk of real man met me gaze
That Aa jist wept, me poor heid in a daze!
It wus his eyes, see? full of real consorn---
For me, be blowed! And, lass, Aa cud hev sworn
Aa saa a tuch of real affection theor. . .
Ye think Aa'm kiddin'; wey, Aa divvn't care.
Lass, aall the traffic noises soonded grand,
Aall of a sudden, like a baallroom band!
And if ye'd axed Aa'd say the sun had shone,
Aalthough in fact it wus jist mizzlin' on.
An' noo Aa'm pixylated, kinda blind.
Aa canna get his fyess oot of me mind,
And Aa keep wund'rin' whaat he'd hev t' say
If he hadn't torned 'n' gyen the tother way.

Identification

Mistor, de ye luv the road
That winds se steeply doon the windy hill
T' yon styen waall enclosure
An' yon crude abode?
An' de ye like the wine-tyest of this air
That heats the blud
Though cool the high exposure?
An' when ye heor sheep blare,
Dis it soond like singin' in yor hairt?
An' de ye feel aroond ye broodin' ghosts
Of mony a bluddy encoontor?
An' de ye feel the pride
Wor hist'ry boasts?
The scents of gorse 'n' bracken 'n' teuf heathor,
And aall the moods of wor se fickle weathor,
De ye luv them?
Wey then, Aa'd claim yo're a Northumborman.

Idyll

"Ut hoy! It's a time for singin'," he says,
"An' the diamonds of the day,
Let them twinkle 'n' sparkle merrily.
Aad Fathor Time, gan away!
Cry halt t' the sun haaf oot of the sea,
Deeply breathe the waarm scent of the clover,
Dance aroond, dance aroond gaily wi' me,
And Aa'll woo ye 'n' prove Aa'm yor luvvor.
W'll gather the lilies t' lie upon
Reflectin' in the still brook,
An' the yalla gorse will shine 'n' will shine
Aall aroond wor luvvors' neuk.
W'll live in the moment's etornity
Wheor the chestnut's flooers faall,
Clood-borne away in simplicity
Time the linnets 'n' blackies caall."

The Image

When Aa think on me past porvorsities,
Aw deor! The arid wastes of contemplation
Swept b' the stingin' winds of advorse aims!
But sumwheor in the wide 'n' bare expanse
Of my identity
Theor's an oasis tranquil in reflection;
The image that's real me,
Free frum distortions inta symmetry
An' grace.

Incident at Alnham

In 1532 the Earl of Northumberland reported: "Scots to the number of 300 personages and above hath brunte a toune of mine called Alenam with all the corne, hay and household stuff in the said toune and also a woman".

Noo whisht ye, me wheen-luv, the Scots are away.
Let's bide in the bracken the rest of the day.
Yon fires still bleeze, smoke 'n' smeech fill the air,
An' folks are sair scattored i' fright 'n' despair,
Except only one, 'n' they've bornt hor alive,
The poor sowl. In vain she wad struggle 'n' strive
T' flee frum hor cot wi' hor gammy aad byens.
She'd be roasted alive ahint hor aan styens.
Aw, Aa wish yor poor Daa reit seun wad retorn!
Wiv his heid bleedin' free he's stown t' the born
T' wesh aall the blud frum his noddle 'n' fyess,
And a gash in his airm. Aw, he waas in a mess!
He fended sum Scots off so Aa got away
Wiv only his langstaff t' keep them at bay.
Aa keek through the bracken; wor hyem's still aleit
Wi' the flames leapin' up frum the stowage of wheat,
The sky aall blud-reed wheor they bornt aall the hay,
And aall wor bit things that they've not teun away.
Sleep soond, ma wee bairn, may ye nivvor knaa feor
Like mine. Aw, Aa wish yor poor Dadda wus heor!

Incident at Felton

Two aad monks frum Newminstor,
A pair of naive ducks,
Cumen doon frum Alnwick
Wiv a cuddy-load of beuks,
Tarried fornenst Felton
When the day wus still 'n' bland,
An' their teum bellies rumbled
Wiv a hungor's keen demand.
A flagonful of buttormilk
Hung roond the cuddy's neck,
But the cuddy, waantin' wettor,
Plodged aboot amang the sleck,
An' waded oot t' drink theor
In the middle o' the stream,
Then gazed inta the wetter,
Lost in a Narcissus dream.
The bruthors coaxed 'n' wheedled,
But hooivvor hard they tried
The cuddy jist ignored them.
Theor contented he wad bide.
One bruthor lost his tempor
An' he cried, "Aa'll end this farce!"
An' he gowfed it wiv a gowpen
Of hoyed pebbles on its arse.
"Ye beggor o' ganny's whaup's!" he cried,
"Noo, howay oot of that!"
But the cuddy teuk the kittle
And it lowped alang the flat
An' galloped up the bank 'n' then
Away aall hell-for-leathor,
An' the two bruthors follad
Wi' sum het unChristian blethor.
Wey, they fund it doon the toteroad
Grass-ian in the wayside lush.
The weight of lore he carried
Had seun stayed his heid-lang rush.
An' theor the bruthors knelt 'n' prayed
That they should be forgiven,
An' whaat they'd sayed in angor
Shouldn't bar theor way t' hivven.

Incident on Gallows Hill

Wor land bred men afore wor day
Wiv a blind valour, cum whaat may,
Se stanch 'n' stubborn in defence
Ye'd think abeun the boonds of sense.
A tale's telt of two bruthors Reay,
Of giant bulk 'n' strength, they say,
Wi' vigilant 'n' devoted will
They worked the farm on Gallows Hill,
A place that's varnigh within caall,
A half-mile frum Hartingtun Haall.

One morn afore the forst blackbord
Across the mist-hugged leas wus hord,
On stilly air theor cum low moos
Frum sum distorbed protestin' coos.
The soonds wor wafted deep 'n' faint,
An' yit the shaggy beasts' complaint
Shot like a thunderbowlt t' quake
Through one Reay's dreams. He cum awake.

His shoon jorked on, he grabbed his hack
An' doon the lea med his attack,
Full confident that he cud quell
Sum wild young reivors biv hissel'.
Until his bruther joined the fray
He'd howld the cut-throat rogues at bay.

He hoyed hissel' the thieves amang,
But these med up a stubborn gang,
Unyieldin' ower his punishment,
And on his slaughtor grimly bent.
One stubbled rogue lowped on his back
An' gov his croon a hammor-thwack.

He swayed 'n' staggored, seein' reed,
Time vicious thumps rained on his heid,
An' then deep darkness filled his brain,
An' he wus free of hate 'n' pain.
By him the rogues had suffored sair.

Vengeful, they stripped his greet corpse bare
And inta collops hacked his beef,
T' gie theor brutal rage relief.

His bruthor, boondin' doon the hill,
Wus ower late t' haalt the kill,
And aall the butchors hied away
An' left a sick 'n' grievin' Reay.
Sum freends cum lator wiv a sheet
An' gathored up collops of meat.
The stricken Reay, withoot a word,
Jist roonded up his scattored hord.

In the Beginnin

Me, Aa'm se forgetful noo,
Whaat happened yistorda?
Wad ye believe it? Noo ye ax,
Aa hesitate t' say.
But wait! Ye tripped 'n' spilt the soup
Across the kitchen floor.
Naw? Aw, Aa've jist thowt on noo;
That wus the day afore.

Queor. Yit Aa can mind of things
When Aa wus only three ---
Sum orange peel hoyed in a pond;
A cat chased up a tree.
And aad imaginin's noo seem
Like memories of the past.
Aa look doon endless vistas of
Events; sum smaall, sum vast,

And Aa'm off in the mystic spheors
Amang the star-strewn realms
Wheor symphonies in magic leits
The darkness overwhelms.
Aye, Aa can think on things that wor
Lang, lang afore wor borth --
A Hades wildorness of fire
Ower the infant orth.

Hot moontains sinkin' in the steam
An' submorged in the flud,
Eruptions, nivvor-endin' rain,
An' skies of pitch 'n' blud.
Then waatchin' time aeons flit away
Across orth's tortured fyess,
Aa see luv's transformations by
The laas of rhythm 'n' grace.

At last a greybord's mornin' song,
An' ye are by the sea
In a bikini, runnin' doon
In porfect poetry,
An' wundor-blooms of leit and air
Are diggin' in the sand,
Time Aa read aad philosophies
An' listen tiv a band.

But whaat will Aa recaall, me lass,
A thoosand yeors frum noo? ---
The laughtor that besets us both?
Feul's caors etched on wor broo?
The ache of lost ambitions, hopes?
Dewed roses on the waall?
The simple, wistful melodies
That frum the deid days caall?

Wey, aall things tuched wi' spirit
In hairt 'n' Mind Aall-seein'
Will soond agyen and ivvor mair
In deep clefts of wor bein'.

The Killer

He swung his axe 'n' the chicken died;
Its heid lay in the dust.
Aw, but his waatchin' bairns then cried,
An' he'd slain their luvin' trust.

Lament

Aw! but Aa'm sorry for wor two-legged race
On this aad baall atworl in lonely space.
When cheps in caves begun wor history
They nivvor dreamed of this stupidity ---
Teun up wi' things like munney, land 'n' pooer;
Mistakin' them for whaat meks life's ills fewer.
Though wi' se short a torm t' stop alive,
Hell-bent 'n' callous, mekin' oot t' thrive,
They seek t' mek a world wi' truble torn
Insteed o' sharin' Cornucopia's horn.
Aye, since us poor sowls climmed doon oot the trees
An' larned t' taalk 'n' tell each other lees,
Wor struggles t' possess things mek us blind
An' stark of morcy. Man, if us could find
A way t' mek aall greedy mortals see
Enough is Plenty, share oot and agree,
Wuh'd knaa at last whaat selfish aims are worth
An' spreed a richor life ower the orth.

Landscape

Aall this is mine.
Theor's ne true ownorship abeun the hairt,
An' luv's appreciation owns each pairt.
An' when stars at midneit glow
We aall convorse across infinity.
Then Aa find mesel' in truth 'n' knaa
It's aall ne biggor than Aa am
Becas it is aall in me.

The Lantorn

Sumbody's gannin' ower the hill,
A firefly lantorn swingin'.
Abeun yon hill theor is a chorch;
Aa heor the chorchbell ringin',
A lanthorn of soond swingin'.

The pilgrim sees 'n' listens.
He tarries a bit t' wait anuthor dawn,
An' then gans on,
Seekin' ne static-minded cortitude
T' mark the limits of his sowl's increase.

Last Partin

Aw, Lily Rose, ye lily 'n' rose!
The music of yor prisence flows
Ower the lea, the clover lea,
And aw, deor lass, yo're leavin' me.
When beauty's lost 'n' luv has gyen
An' shadas brood wheor waarm leit shone,
Vast emptiness is noo t' me
The yell of nowt. Me hairt will be
A thing t' ache in aimless flight
Alang blue corridors of neit.

The Linn

Up the dell Aa hord a splashin',
Marry laughtor of the linn,
Such a slashin' leapin' dashin',
Such a gushin' gorglin' din.
Such a lood torrential tummlin'
Wheor the wettors glint 'n' flash.
Such a thund'rin', frenzied jumblin'
In an air 'n' wetter clash,
In such ululation smother,
Dancin' blethorin' wetter-sprites,
Gleeful undulatin' bother
In yon heltor-skeltor flights.
Ping ping pizzicato glubbles
Mingled wi' the deep pool plops
Wheor battalions of bubbles
Battle hordes of silvor drops.
Aw! the wild stampedin' wettors
Ower the ootcrops leapin' free
Floutin' aall yor hill-rock fettors,
Whaat a joy ye spill ower me!

Ee, the magic of the sunkist
Airborne globules glistenin' theor,
Wheor the airie-faery clood-mist
Is bediamonded se fair
That me fancies aall gan wingin'
Wi' the charms of sight 'n' soond,
Like an uncaged lintie singin'
Or a dungeoned chorl unboond

Little Poet

Jist t' let ye mek pot-pies,
The sea gans back, an' then,
Jist t' smooth the sands aall oot,
It aall cums in agyen.
An' when the corled-up waves unwrap,
They spreed oot white an' lacy,
An' run at ye aall ower the sands
T' play at tig 'n' chasey.

Little Star

Twinkle, twinkle, little star,
Through infinity fleein';
Twinkle, twinkle, little star---
Whaat d'ye think ye're deein'?
Sum men say that ye cud be
A clood o' deidly gases,
Or mebbies like wor land 'n' sea
An' human silly asses.
It meks nee odds---for me ye are
A mystic leit that gropes
Through aall the endless leagues afar---
The missure of me hopes
That spring noo frum the deeps o' me
Up t' yor breit etornity.

Lizzy Jane 1920

Lizzy Jane is hyem agyen.
She went away t' place,
An' noo she's back 'nd aall the crack
Says she is in disgrace.
"Whaatever shem cud fetch her hyem?"
The gossips waant ti knaa.
But Aa knaa Lizzy, Aa cud say
That's jist a lot of blaa.
Lizzy Jane is elwis sayin'
That she wud marry me.
But she ignores us noo, and she's
As shy as she can be.
Aa teuk hor by surprise today
When cumen doon the lane.
And Aa wus hort, for on hor fyess
Aa saa a look of pain.
"Lizzy Jane," Aa says ti hor,
"When will us two get wed?"
"Aa canna marry nebody,"
She bows hor heed and said.
"But Lizzy Jane, ye promised me
That ye wud be me wife.
Ye knaa that Aa'll be luvin' ye
As lang as God gives us life.
If ony truble ye have met,
That truble's mine as weell.
Ye'd aye be blameless, luv, Aa knaa,
And that's the way Aa feel."
"The maister's son got howld of me,"
She cried, "and hugged us hard,
An' kissed us on the lips when Aa
Wus busy, off me guard.
An' then he laughed and run away
And Aa wus full of shem.
Aa packed me things that varry day
An' catched the train back hyem."

Matin

Heor noo within the stealthy dusk,
The trillin' of a bord--
Song withoot words, 'n' nowt is asked;
The best prayer Aa hev hord.

Me (Aa'll Nivvor Be Poor)

Me, Aa'll nivvor be poor
Till emptied of me dreams ---
Me thowts vibrate wi' wingéd words
T' seek waarm climes like valiant bords
An' trill theor joyous themes.

When hairt hes lost desire ---
Its ricochetin' leaps ---
Like weathored discus styens t' take
An' mek them skip across the lake,
Me youth's fresh vorve t' keep.

Aa'll not knaa cynic taint,
Me spirit's flights still high,
If Aa can scan the formament,
Ower creation feel intent
T' cry, "Aa wundor why?"

Me, Aa'll elwis be rich,
Stray in a gowlden clime,
If Aa can tarry 'neath the spell
Of aall adventures still t' tell
Wi' "Once upon a time."

And aad Aa'll nivvor be
Still yeornin' for the Springs,
High hopes wed t' me memories
Till Beauty's kiss the boond orth frees
An' youth's renewal brings.

Aye, in cremation's fire
Hap silence high on me;
Scattor me ashes, say Aa'm gyen,
But Aa'll be heor t' whispor when
These words are read by ye.

The Meek

Theor wor cottages in the valley
And a cassel on the hill,
An' the cottagors war humble
But yon cassel's ruthless will
Spreed aall grim pooer ower the land,
Wi' trubles elwis brewin'.
Noo the valley's filled wi' music
But the cassel is a ruin.

Modern Chrismus Eve

Chrismus? Huh! For sum it's kinda rough!
They canna mek ends meet---the price o' stuff!
Torkeys? Legs o' pork 'n' lumps o' meat?
An Oxo cube's mair like thor Chrismus treat.

Things is nowt like whaat they used t' be.
Wor hard-up times? If folks could only see
The whoppin' Sunda joints us used t' roast,
Aboot these richer times they wadn't boast.

Aa hope it disn't snaa. The traffic's rush
Jist shooers aall yor claes wi' clarts 'n' slush
When ye gan shoppin' or t' post a lettor---
And aall them modorn beuts aye tyek in wettor.

The chorch bells wilna ring. Not on yor nelly.
The ringors stop at hyem 'n' waatch the telly.
Folks divvn't gan t' chorch. They say it's caad,
But so's theor hairts, and aw! Aa think that's bad!

The only Chrismus thing a bloke enjoys
Is seein' bits o' bairns oot wi' theor toys.
Wey, Aa'm not sendin' Chrismus cards this yeor;
Them 'n' the postage stamps is ower deor.

Mongrel

Time yit the day wus innocent
Mist-veils still on the rivvor,
The sleepin' air se motionless
Ne aspen leaf cud quivor,
Aa mooned ower the daisy field
Aall iggorant of a bull,
Till it cum thundorin' tiv us.
Me craven hairt wus full,
For 'twixt us 'n' the beast of doom
Me owld dog raced 'n' stood
Snarlin' theor defiantly
T' shed his luv-het blud.

The Monstor Doon the Lonnen

"Whe will hev bairns?" young Bella yelled.
"Nebody but a mug!"
Hor bairn had spilt a cup of milk
Right ower a fireside rug.
An' Bella grabbed the poor bit bairn.
"Ye little bitch!" she whined,
"Look whit ye've deun ti me new mat."
Then smacked hor bare behind.
So little May run oot the hoose
To get away frum truble.
An' got ootways doon the lane
Hevin' a howl and bubble.
Young Ted Broon tried ti cumfort hor,
Says, "Whaat's the mattor, May?"
An' May yells, "Mam's a cruel beast!
Aa'm ganna run away."
"Whaat? On yor aan? Eeh, May, why, no,
Theor's bogey men doon theor,
Greet monstors doon the lonnen, May,

Wi' greet big eyes that glare,
An' reet sharp teeth, an' swishy tails
That trail amang the clarts,
An' noses corved like budgies' beaks,
An' lots of hairs, an' waarts!"
"Oh, whaat odds!" yelled little May.
"Aa winna be afraid!
Aa might as weell get eaten up
As hev me backside brayed."
"Ay, wey," says Ted, "Aa'll gan wi' ye,
Caas yor jist little, May,
And if yon nasty monstors cum,
Aa'll frighten them away."
So doon the lonnen the pair ran
Betwixt the rutted tracks,
Till May spied flooers in the dyke
An' seun forgot hor smacks.
They hord a swish abeun the hedge.
It wuz a curious coo.
It jist looked ower the dyke 'n' then
It gov a deep-voiced "Moo!"
Ted 'n' May both gov a squeal
An' panicked up the lane.
Hor little legs like pistons went
Till they got back agyen.
"De ye still waant ti run away?"
Says Ted, still in a dother,
An' May jist tossed hor heid 'n' says,
"Aa divven't think Aa'll bother.
And ony way, Aa'm hungry noo.
Aa'll seek sum breed 'n' jam,
And if she says she's sorry,
Wey, Aa'll jist forgive me Mam."

Mood at Sunrise

Hoo wide the meada, se high the sky,
The air se still as day comes nigh.
In bornin' leit the black wings flee
That kept wor secret, ye 'n' me,

And in oblivion there ye lie,
Se caamly fair that Aa could cry.
A blackie warbles far away
An' tells the things Aa'd like t' say,
As broodin' on yor sleepin' grace,
Me still contentment fills aall space.
Aa tuch aside a wave of hair
An' catch ye gently breathin' there,
And if Aa live or if Aa dee,
Aa've fund fulfilment heor wi' ye
As in oblivion theor ye lie,
Se caamly fair that Aa could cry,
An' nivvor knaa the reason why.

Muggors

For aall the sylvan beauty heor,
The ravine is a haant of feor.
Dark spirits in the leaf-screens lork
An' wait te de theor evil work.
So be affeored, the one or byeth,
T' gan alang the mordorpeth.
Crood up, or for tittle gain
Cudgelled weell ye'll be, or slean.
The hist'ry of this place can tell
That aall the fiends are not in hell.

Mystories

Ye waant t' knaa sum mystories?
Aw wey, hoo de the dragonflees hover?
Hoo de bords knaa when winds'll blaa?
Hoo dis me teasin' Mary knaa I luv hor?
The swallas fleein' through the neit,
Hoo de they knaa theor route of flight?
Hoo de Aa knaa Mary luvs me?
Becas she teases me, ye see!

Native Grund

Folks say this grund,
Once crimson wi' slow wars,
Is haanted when midneit is full of stars,
An' ye can heor echoes of battle cries
Soondin' high, resoondin' frum the skies,
But Gaffor Green'll spreed his bare-gum grin
An' wheeze, "Them ghowsty tales are growin' thin."
Then he'll hoy back his heid 'n' try t' boast,
"In aall me days Aa've nivvor seen a ghost.
If ghosts there are then it cud likely be
They flit away affeored when they see me."

Then Lizzie Ann, his suporstitious spoose
Raps oot, "Away wi' ye, ye ig'rant loose!
Mony a ghost Aa've seen in battle dress,
Aall bluddied ower and in a hellish mess.
But as for ye, the reason yo're se blind,
The divvil shuts the eyes of his aan kind!"
But Gaffor's deep-creased grin sorvives this thrust.
"In aad wives' tales Aa've nivvor put ne trust,"
He says. "Deid men are dust, Aa undorstand,
And only sarve t' fortilise the land.
If theor wus ghosts they cudn't de ne harm
Except t' be trespassin' on the farm,
But cudn't poach nor trample doon the wheat
Or leave gyets oppen when they roam at neet".

"Aa mind the time wor Daisy went astray,"
Says Liz. "One time Rex fund her up the brae
Though it wus deid of neit. An' nigh t' morn
Ye both got hyem aall blud 'n' howked wi' thorn.
'Twaas plain t' see both ye 'n' Rex took fright
Wi' summat that ye'd seen yon ghowsty neit."

Northumborland

For scenory sum seek a foreign land,
The highor 'n' the caador, the mair grand!
But soft-corved hills 'n' trees 'n' leas for me ---
The signs of luv's artistic husbandry;
Corn, coos, cool streams, a lamb that's gyen astray
An' ye can heor its baa a mile away.
Corlews 'n' herons ower sumpy sedges,
An' fussy little spuggies in the hedges.
Nature a mottled luvliness attains
Wheor trees in majesty arch ower the lanes,
And as ye gan alang the regal arch
Raised spirits move in a triumphal march
Inta the green expanses fresh 'n' fair
That heal the mind noo shaken free of care.
Theor's fells wheor infant streams cum oot t' play
An' romp 'n' giggle on theor tumblin' way
In escapades of liquid ecstacy
That mek wor Coquet full of coquetry.

Northumborland (2)

Northumborland!
Aa think it is a wild majestic word!
Theor cum's a battle's thunnor when it's hord,
And ower the heathored moors of Otterborn
Aa see thi stalwaarts of an army horn
Scream inta battle, feyor in thor eyes---
A Fenwicke, A Fenwicke! A Hotspor-or-or!---
Heor on thi wind theor fiorce hairt-lowpin' cries,
'Neath moonlit cloods abeun the gloomy heights,
An' bords affrighted high in wheelin' flights. . . .
They spy at dawn thi wounded spreed afaar
Doon Elsdon's dip and up ti Carter Bar.
Aa knaa nex' day the heaps of bluddy slain
Alang the Elsdon chorch-waal will be lain,
Shorn o' thor claes, the pikes they'll waant ne mair,
Aye, rob the deid men nyeked; they'll not care!

Northumborland (3)

Northumborland!
Aw, aye, it is a wild majestic word!
Me hairt aye fills wi' fondness when it's hord
Amang dull scenes that thwart aall beauty's blendin'.
Then Aa wad roam in gowlden mornins wheor
The lairks are arly wi' the dawn ascendin',
An' blackie's raptures thrill the dew-fresh air,
Or wheor the velvet hush of sum treed vale
Creeps doon t' give the porfumed neit's dew-kiss,
An' lost peewits'll soond theor haantin' wail
Abuv the moonbeamed silvor'd haants of bliss.
Wi' waarm 'n' lusty intonations say
That grand aad word lood in wor dialect
T' aall wor folks noo waandored far away---
Watch theor eyes gleam! Hoo prood they'll stand erect!

The Northumbrian

Theor wus a day theor wus a man,
They nyemed him a Northumbrian.
He laboured lang jist t' maintain
A humble role wi' tittle gain,
An' nivvor t' high place aspired,
Content wi' jist whaat wus required
T' keep him hale, t' keep him free
An' prood of his integrity.
Nowt but his hands wor eloquent
When t' the daily task he bent
His honest will. Happy wus he
An' rich in his simplicity.
The cuntry that hes lost such men
Can nivvor mair be greet agyen.
Say whaat ye will, it seems t' me
They wor the true nobility.

Northumbrian Pipes

Play us sum music of contented strain,
Roond-noted, warblin', haantin', silken, low,
A melody as leit as April rain,
An' liquid as a purlin' streamlet's flow;
Sweet soonds that will refresh like deepest sleep,
Theor gowlden rays se like the sunset's beams
Reflectin' in a forest pool the deep
An' wide infinity of soarin' dreams.
Then let it be as Autumn's wistful wind
That whispors in the willas by the born
An' croons aroond, as if its notes might find
In dooncairst hairts the pooers of Gabriel's horn.
Northumbria's soonds, pure as wor mountain air,
Sweet as the thrush's trill at mornin'tide;
Northumbria's voice, wiv charms t' banish care,
Renewin' strength whaativvor may betide;
Northumbrian pipes! Aye, Aa can heor the soond
Of peewit's cry, of lairks, of wind 'n' flud,
The benediction ower a warrior's moond,
The song serene---let life be brave 'n' good!

Northumbrian Vistas

Aa'm a gladsum echo-ringor
Ower the pathless hills of song,
Ridin' on a wave of livin',
Free in nature's vordant throng.
When high-pipin' winds se gleeful
Scurry cloodlets up aheight,
Reed blud races through het channels
An' me stubborn cares tyek flight.
Lost amang Northumbrian vistas,
Wi' valiant ghosts for cumpany,
Aa share the freedum that they treasured,
Son of a wild history.
An' wiv a thoosand eyes Aa see
For aall the genorations are in me!

Ocean

Noo of yor varry spirit Aa am pairt,
And, blended in yor grand immensity,
Shall feel, not in the pulsin's of the hairt,
But in the wind, the foam, the seagull's cry.
Hev not time's billas rowled t' this decree,
Of aall things striven, one etornally.

On Cheviot Foothills

Aa've fund agyen that cloods daydream,
That lairks can porch on air,
But wheor this aad sheeptrack'll lead,
T' jorney's end or shepherd's steed,
Wey, Aa jist divvn't care.
"Ower the hills 'n' far away,"
Frum the wildorness of toons.

One Day

Mornin' is the oppenin' of a flooer
Revealin' high excitements
As aall the flames of colour spreed abroad
Like pink 'n' gowlden petals on a rose
Given the nyem of Peace ---
Or tangorine nastortium on its vine
Wi' brilliant light abeun it.
The trumpets of the dawn thrill oot thor pomp
In clarion leit.
Then aad King Midas tips the brim of orth
An' spreeds the wealth of day.
An' when that's spent in life's vain sarimonies
The petals of the day'll fade 'n' faall
Inta the deep oblivion of neit.
Gyen is the day, its vanities remembored
Like funereal scents,
But aall the days in endless train t' come
Will spreed thor wealth agyen
For feuls t' squaandor.

On The Beach

Stop up aheight! Aye, scream for aall yo're worth,
But divvn't light on man-infested orth!
Aw! Aa'll be cumen t' the beach ne mair
T' blub sick pity on the stinkin' air.
Amang this junk, french lettors, tyres 'n' tords,
The sewer-vent hes lured these hideous bords,
An' heor crude oil, a black deeth thick 'n' clingin',
Hes put a horror's end t' their free wingin'.
Aw hell! Ne fiends that wiv lost sowls contend
Could hev contrived se pitiless an end!
An' look! Yon blood-hued monstor wetter-borne
Amang the murk noo blorts its doom-waatch horn
An' spews its sworlin' reek. That horn's deeth-caall
Is not jist for the bords, but us inaall!

Orly Risin'

If ye'd be educated, please gan wild
An' sit at neit aside a stream descendin',
An' heor it taalk aboot itsel' unendin',
An' se refined 'n' mild.
It laughs at its ain volubility
Wi' such a cultored geniality.

On a dark neit gan oot 'n' clim' an elm
When gustin' winds tell of a storm impendin',
An' through the heavin' branches yo're ascendin'---
Ship's captain at the helm?---
The leaf-waves sorgin' like a wild typhoon
Tossed aboot 'neath the elusive moon.

Ye'll knaa then hoo it feels t' be an owl;
Sepulchral hootin', glarin' inta neit,
Or streakin' doon in an assassin's flight,
An' ye'll feel like a ghoul,
Of ivvry semblance of yor ego shorn,
While lustin' for the crimson stream of morn.

If ye'd be civilised cum oota bed
When t' the meada yett ye'll need t' grope,
An' wi' bare feet amang the dew ye'll lope
Until the sky torns reed.
Ye'll neigh t' a clood tattordemalion
An' knaa then hoo it feels t' be a stallion.

If ye wad feel true kinship wiv a bord,
For orly risin' ye'll gain recompense
If ye cum oot 'n' porch upon a fence
An' let yor tune be hord
Frum full 'n' forvent hairt, 'n' weel it may
Gan whist'lin' doon gowld lonnens of new day.

Keep ne imagination in yor attic
Of unused things, noo yo're ne laangor young,
Nor leave life's sweetest harmonies unsung,
But be emphatic
That ye will live in orth 'n' sea 'n' sky,
An' not alen jist in the clay-wrought "I".

An Ower-fat Lad of Monkseaton

An ower-fat lad of Monkseaton
Once proposed tiv a thin lass at Heaton.
She says, "Wheor's the harm?
Aa canna keep warm,
Ye'll de fine for t'put me caad feet on."

Pace

Aw deor! Poor hedgehog on the road!
Aw deor! The poor pond-seekin' toad!
Ye've paid the fatal penalty
For movin' ower leisurely.
Aw deor! The daft bloke in the car
Hes travelled fast, but jist as far
As yon tight bend. His folks are sorry
He thowt that he wus in a horry.

The Pit Heap

Horray! They've teun the blot away!
The pooers that be are funny'ns.
Us thowt its stench wuz heor t' stay
Phew! Rotten eggs and onions!
But noo the canny folks that dwell
In collory raa abodes
At last can let thor lung-box swell,
For noo blokes mekin' roads
Need dort t' feed thor speedway lust,
An' wor reed ash 'n' clinkors
That med' the hairt-ache wesh-day dust
Frum such sulphuric stinkors
Hes gyen in screamin' trucks aall day,
That thunderin' doon wor lane
Hev med yung parents waatch 'n' pray
An' mebbies wax profane.

Yon heap filled hyems wi' dust 'n' stink
An' tarnished paints 'n' brasses ---
A plague, a fiendish corse, Aa think,
On aall wor hooseprood lasses.
At neit the man-made moontain glowed
An' reeked 'n' spat 'n' twinkled,
An' when the westorn air-stream flowed
Offended noses crinkled.
Aw! whaat a day of temper strain
When claes weshed wi' high hairt
Should aall be tyekin' in agyen --
The wind had changed its airt!
An' while the wives wad sniff 'n' froon,
An' t' thor claeslines horry,
A swarm of specks wad settle doon
On clean weshed tarritory.

Abeun the heap the pit pond lay ---
A foul subsidence pool
Wheor, with wor jamjars, bairns wad play
When on the wag frum scheul,
Plodgin' roond wi' soaken beuts,

The education-hators,
For tadpoles, frogs 'n' little newts
Us thowt war alligators.
Aa mind when jist an impish pup,
A smaall playmate 'n' me
Once pulled an oval bath-tin up
The steep-sloped pitheap scree.
We both got in 'n' slid away,
An' cheered 'n' yelled 'n' chortled,
An' nivvor war two bairns mair gay
As doon the slope wuh hortled.
But, aw dear me, when halfway doon,
The bath-tin cowped its creels.
Two imps spilled oot upon thor croon
Aall scratches, scrapes 'n' squeals!

The big wheels 'n' the pitheap geor,
The waggons 'n' the sidin's,
Us viewed each day withoot a feor
The morn wad bring dark tidin's,
And aall wor labours heor wad cease,
King Coal wad abdicate,
His subjects findin' sad release,
A lang dole queue thor fate.
Aa knaa the blot hes gyen at last,
Green fields cum inta view,
Strange silence broods wheor once the blast
Of despot buzzors blew.
But if them wheels could torn agyen
Wor joy ne tungue could tell.
We'd put up wi' the blot 'n' stain
An' dust 'n' reek 'n' smell.

Pitmen

Time trails his neits 'n' days across the spheres
Inta the last oblivion, yit the hope
Of freedum's triumph in each hoor appeors
Nor is effaced hooe'er forlorn men grope
For grace.

Time is freedum's slave: t' hor he'll bend
His neit 'n' day endeavours t' the end.
An' whaat's time deun for us? --- the human moles
That craall belaa the orth's deep groanin' crust
T' howk frum nature's trissurehoose the coals
That for wor country's needs are still a must
T' mek the torbines hum, theor pooer laid
On aall the tools that implement wor trade.

Wey, we've won justice through wor unity.
Wor common bond high pooer noo defies.
We've put an end t' profit-lustors' spree
That gripped the throat of wor tormented cries
When wor sad plight wus nivvor undorstood,
An' dividends wor won wi' pitmen's blud.

Plantin'

Noo thor's a pride in me
That Aa hev browt mair grace t' me domain,
For see, Aa've planted a tree,
An' whaat wus once se like a poor deed staalk
Hes climmed up in the air,
An' noo sways free 'n' fair
Wi' leaves that dance 'n' wi' the breezes taalk,
Whisperin', "Bliss me, Aa'm full of life!"
An' so Aa look and Aa am weell content.
Hoo full is this aad world of stupid strife,
Wi' greedy feuls upon destruction bent,
But heor me hand hes browt a twig t' life,
Or so it seems, as if Aa wus a god.
An' so thor's pride in me,
An' yit it's tempored wi' me thenkfulness
That wi' the joy of this green livin' thing
Me mind is noo imbued,
And Aa should stritch me airms up t' the sky,
An' wiv a grand conviction Aa shud cry,
"Aa'm a Planter!"

The Plooman

Hero 'n' Dobby, they're forgotten noo,
But mebbies not aad Jake,
The two that pulled 'nd one that steered the ploo,
With white gulls in theor wake,
And as the broon loam corled across the field
Which orlier bestowed its barley yield,
Aad Jake wud grimace wiv hees shooldor ache,
But nivvor wad his guidin' point forsake
Wi' wavorin' view,
Until he neored the hedge, t' tilt the ploo,
An' theor begin anew.

Se mony furrows 'neath the autumn sun,
Se mony days, se mony yeors begun;
An' noo hees ploo jist gathors rust
Time juggornauts scream ower the stubbled field.
But Jake, redundant, still wad nivvor yield
His guidin' point of trust.

Poachin'

The world's se full o' strife;
Time the poacher poached,
The laird poached his dowter,
An' the gamekeeper poached his wife.

Pooer

If by sum strange 'n' magical design
Aall the true freedums of a god wor mine,
Unboond b' time or space or pain or lust,
And ignorant of nowt but deeth 'n' dust,
Aa'd hev these gifts at ower high a cost!
For by such pooer wad me sowl be lost.
Ne challenge t' attain wad seun cast me
Deep in a hell of deid monotony,
An' whaat wad be an evil and a dangor,
T' aall me fellow men Aa'd be a strangor.

Problem Solved

In the workhoose they wor storrin' the Chrissmas gruel;
It waas lackin' in meat an' woeful thin.
When Santa cum fleein' doon the chimney,
Them rotten beggars hoyed him in.

The Rain Song

The rain com doon an' plop, plop, plop,
It boonced upon the tornip crop;
It pattored aall alang the waalk;
Then ye cud varnigh heor it taalk
In an acceloratin' gush
Upon each tree an' haathorn bush;
And as it splashed it seemed t' say,
"Porvorsities aar heor t' stay."
It blew blue bubbles on the land
An' med ten thoosand rings expand
Upon the seethin', steamin' lake,
And on drenched corn for morcy's sake;
And aall the time it seemed t' say,
"Porvorsities aar heor t' stay."

Reachin'

One day Aa rambled, feelin' sad;
Aa'd tried t' ower-reach mesel'.
Aa saa fower trees, aall tremblin' glad
That sprung up frum the rocky fell.
Aa said, "Yon trees are feathorbrained
T' clim' up t' such lofty height,
In danger when it stormed 'n' rained,
Yit elwis reachin' for the light."
Aye, oot of shadas they've won free
To stand in grace 'n' majesty.

Reasons

Whaat, give ye a reason Aa luv ye se weell?
If jist one, then me luv wad be slight;
A candle t' melt afore darkness hes gyen
In a fond hoor's glow of delight.

But reasons are myriad! They aall multiply.
Each day brings its host t' delivor.
Star-spangled reasons, aall twinklin', me luv,
An' steedfast, diminishin' nivvor.

The plissures Aa win are the echoes of yors,
Yor sadness hell's torment t' me,
An' lass, when ye laugh Aa jist leit up inside,
Like an angel in high ecstasy.

An' yors is aall credit for me constant hairt.
Aall me joy's in luv's captivity.
Like planets in orbit aroond theor bright sun,
Aa must be ivvor faithful t' ye.

Yo're whaat? Yo're not beautiful? Aw, but ye are!
And onyway, hoo cud ye tell?
Yo're me beauty's measure and aall luvliness
Is whaat reminds me of yorsel'.

Whaat? Hoo cud imaginin's exaggorate,
When t' me ye are creation's span?
The whole univorse, ye 'n' me, aall relate
In life's poem rhymed in luv's hivvinly plan.

And if aall luv's reasons should tyek sudden flight
Ye'd still be life's length 'nd its breedth, 'nd its height.

The Recluse

Yonder lives a recluse.
He shuns his fella-men,
An' nivvor will he knaa them
Until the time cums when
He is nee mair a stranger tiv hissel'.

Reet Y'Aare

Heor lies the body o' Willy Lay
Whe deyd o' maintainin' ees reet o' way.
He wes reet as reet, as he sped alang,
But he's jist as deed as if he'd been wrang.

The Reject

Aa had t' give 'n' give! Aa waas in luv!
Aa wept 'n' thrilled wi' each momentous shuv,
Tight cuddled wi' possession's spate desire
An' meltin' in a blissid fusion's fire.
An' creddled noo in me the babby sleeps
In trustful prosporin', and Aw! it keeps
Me fancies wakeful. Will it be a lad? ---
Anothor me? but featured like her Dad?
Aa luv hor for me misories the mair.
If it's a him that's slean! --- Aa shouldn't care;
He'll nivvor knaa he waasn't truly born.
Aa'm ganna be attended te the morn.

Rest

He that will, withoot need, rest,
Will nivvor be numbored amang the best.

Revelation

When ye get ower big for yor beuts
Jist gan oot on yor own
Some neit when it is dark 'n' still,
An' waalk reit oot of toon.
Cross ower the fields 'n' through the hedge
An' waalk deep in the trees,
An' deeper still, 'n' quietly
Stand listenin' for the breeze.
Whisht! Heor it cums se stealthily!
It's whisp'rin' aall aroond,
An' tells ye things aboot yorsel'

That's sartin t' astoond!
Yor confidence'll flee away,
An' little feors'll ravage,
An' ye'll seun loss yor flimsy gloss
And once mair be a savage.
Tense, alort, yor narves'll scream,
"Whaat waas that shufflin' soond?"
An' then ye'll get aall claaed 'n' scratched
As oot the woods ye boond.
Noo whaat's yor horry, cocky lad?
These woods howld nowt satanic.
'Twus jist an otter gannin' hyem.
Thor's ne caall for yor panic!

Reverence

Ee, but it's aall se grand!
But Aa'm dazzled wi' the mystories of livin' ---
As if Aa wus standin' in a lane,
Eftor rain,
Blinkin' up at the sun.
An' then wi' ye Aa run,
An' laugh, 'n' run agyen,
The thowtful pethside daisies streamin' by,
The weshin' air, the lairksong through the sky.
An' then Aa catch ye, and Aa undorstand.

Rimembored Forst Luv

Rimembored forst luv forrivvor beguiles---
The aad chep had cum ten thoosand miles
Jist t' read i' the bark uv a tree,
"Jim luvs Rosalie".

Robbery

Ne mottled eggs, ne day-spring psalm
T' thrill the air of mornin's calm.
Bewildored bord, ne song, ne rest,
Luv's labour's lost, desorted nest.

The Roman Waall

On Borcovicus height se wild an' staark
Aa see yon Hadrian's hordes at captives' wark
Maarched up frum Pons Æli 'n' Hunnum,
Bordoswald and Eastorn side Segidunum,
T' haal rough bogeys wi' paalm-searin' ropes,
To inch the styens up lang, hairt-brikkin' slopes,
T' build a waall t' keep the Scots at bay,
Wi' nowt but saaltless croudie for theor pay.
Aa smell theor sweatin' hides, then feel theor chill
When northorn winds cum searin' doon t' kill.
Aa heor theor corses stifled wi' theor feor
Of scourgin' frum theor toga'd ovorseor,
Dreamin' theor ahint his waatchful eyes
Of windless groves 'n' waarm blue Roman skies.

Rosey Nell

Alang the wriggley road t' Wark
Aa met sweet Rosey Nell,
An' noo that it wus gettin' dark
Hor shyness it might quell.
Aa axed if Aa cud waalk hor hyem;
She jist torned up hor nose
An' sayd, "Aw, naw!"
"Aw, whaat a shem!"
Aa says, "Aa luv ye, Rose!"
She says, "Thor's uthors tell that tale,
An' ye wad only vex them.
And onyway it's sic a trail!
Aa'm gannin' inti Hexham."
Aa says, "Whaat odds? Aa'd gan wi' ye
Frum heor t' hivvin or---well,
Ony distance wad suit me.
Aa luv ye, Rosey Nell!"
She says, "Aw, wey."
"Give us yor hand,"
Aa says. "It's gettin' dark.
Ee, Rosey Nell! It will be grand
When we waalk back t' Wark!"

Rustic

The world's preoccupations heor Aa loss
As prone upon the fragrant orth Aa lie.
Aall stilled within 'n' postured like the cross,
Aa hoy interrogations t' the sky.

The Salmon

Whe teaches aall the fishes in the ocean
Biology? An' when t' tyek the notion
T' procreate? Aa'll bet a salmon smiles
T' think his sex tyeks him a thoosand miles
Away up through the frothy, boilin' fluds,
Jist ti bestow a genoration's goods
In sum back-wetter, time a feeble man
Bestows the necessary, if he can,
T' bring one squaallin' infant inta life.
Time that aad salmon wilna tuch his wife,
Yit populates a rivor in one go
Wi' his fecundity upon hor roe.

School Leaver

At scheul such idealistic plans war made!
"We'll build a new Jerusalem!" they said.
O-levels? Aye! But noo Aa'm jist a lout.
Hoo can Aa larn the art of dein' nowt
When Aa waas trained at scheul t' arn me bait,
And educated so Aa cud create?
Ye've laid on me a hopeless, blightin' corse
An' med a sow's ear of a silkin porse.
Aa'll not conform nor shave nor cut me hair
Aa "waste me sweetness on the desert air".
A "mute inglorious Milton", me. Aa grieve,
Ne chance t' arn, t' build, create, achieve.
Me poverty 'n' loss hits mair than me.
Hoo big a loss t' the community?
Nebody knaas. T' wreck the human sowl,
Train blokes t' sarve, then put them on the dole.

Seedin'

Whaat ends wi' borth 'n' whaat begins wi' endin'?
Dust t' dust or life t' life ascendin'?
Wheor mild coos meditate betwixt theor feedin'
A woman wiv a scythe lops thistles seedin'.
She's not alen. A bairn is in hor womb
That tiv hor lusty sweepin's will succumb.

The Sense On't

Up at yon end of this aad toon
Amang the collory raas
There lives the queerest kind of folks,
Aa think, that ivvor waas.
They hev two eyes, a nose, a mooth,
An' two airms 'n' two legs
That stick doon frum thor bodies like
The prongs on dolly pegs.
Each day they gan aboot the place
In ways incomprehensible.
Each neit they lie upon a bed,
An' there they faall insensible!
They eat 'n' drink 'n' read 'n' think.
Immortal? Not much sign,
An' yit in an extremity
They caall on Luv divine.
They taalk, they laugh, they sing, they cry
An' crack thor funny jokes
And illustrate the sayin' that
Thor's nowt se queer as folks.
But, Mistress Gossip, ower this globe,
Wheorivvor ye may be,
Ye'll find folks like in this aad toon --
The syem as ye 'n' me.

Sheep

Even a sheep has hor dignity.
She gans apairt when it's time t' dee.
Whe tells hor when? Whe tells hor why?

Sheepwish Bank Impromptu

Annie se canny, cum ower the hill,
Fightin' your billowin' frock wi' a will.
White cloods noo stampedin' across the wide sky
Like swaans on still wettor sedately skim by.
The wind, a daft giant wi' gollared hi-ups,
Is rufflin' the myriads of gowld buttercups,
Blaas a complainin' aad craa off its course,
An' whips through the bushes of bright yalla' gorse.

Annie se canny, cum ower the hill.
Yor modesty still tries t' baalk the wind's will,
Hair streamin' doon, yor wild gesticulation,
Theor anglin' doon t' wheor Aa'm sittin' waitin'.
Hup! Noo she staggors! Yon wind's sic a cloon!
She spins roond 'n' staggors agyen, 'n' faalls doon!

Aw Annie se canny, jist bide wheor ye are.
Yo're mair dignified than when stannin', by far.
See, Aa'll sit aside ye. We'll laugh worsels blind
At yon silly aad craa 'n' the cloods 'n' the wind.
But daft as ye are, lass, theor's one thing Aa knaa.
Ye're neethor as daft as yon donart aad craa,
Wheelin' 'n' lorchin' 'n' flappin' aboot,
An' fightin' the wind t' ne porpose, Aa doot.
Aw, Annie se canny, life can be unkind!
Cum laugh! Let's catch joy as it flees in the wind.

The Shepherd of High Knowes

Stannin' up heor on this ridge
Ye see a lang, lang way
Inta time as weel as space,
And inta yorsel', Aa'd say.
The paths, the rabbit runs, the road
Meandorin' doon the hill
T' thonder crude aad styen abode,
They map me routine will.
Yon but-'n'-ben wheor peat-fire smell
Porvades me wee snug dwellin'---
Aa'm like a tortoise in its shell,
Secure abeun the tellin'.
The stewpot hingin' on its cheyne,
The seat fornenst the fire,
In cumfort frum the wind 'n' rain
Is aall that Aa desire.
Wi' heathor, gorse 'n' bracken wealth,
This nectar upland air,
They gie t' me a boondin' health,
And Aa'm aye free frum care.
Each day's a poem aboot me peace,
Lairks nivvor gan away,
An' gobby-becks'll nivvor cease.
Aall joys are heor t' stay.
Like the cloods 'n' winds Aa'm free,
An' wise in me simplicity.

Shoreline

On free days when theor is ne caall t' wark
On jornies t' the sea ye can embark.
Theor's mony a mile of clean desorted sand
Alang the coast of wor Northumborland,
An' frum high dunes upon a summor's day
Whaat a lang sweep greets ye at Druridge Bay!
A desort island strand, ye cud believe;
Wi' not a sowl in sight it might deceive.
Time folks aall jostle in wor crooded toons
Theor's nowt heor but the green bents on the dunes,

The lairks that in the clean air sing 'n' soar,
An' white-capped wavelets mekkin' t' the shore,
Wool-cloods in pomp day-dreamin' ower by,
The deep sea's heave, the gulls complainin' cry.

Silence

Hoo dark the neit! Whaat soothin' peace profoond
Rests ower the lonely moor doon t' the sea.
A sultry hush, se deep that one stray soond
Might pierce the silence of infinity,
Might throb its echoes through the hingin' mist
An' constornate the silence broodin' roond,
Till silence wad a thoosand tungues enlist
In self-abusin' clamourin' for soond.
Se hushed, se still the neit, in awe the mind
Shrinks frum a soond as dark profanity,
A sacrilege that cud attention bind
T' torments of reed hell's cacophany.
Yit as a lapwing's cry throbs through the neit,
Spirit is one wi' sorchin' soond in flight.

Sivin Stiles

Sivin stiles 'n' three green miles,
The pathway ower the fields---
Recollection noo beguiles,
And achin' plissure yields.
Aa see agyen arched ower the corn
The wide blue-tented space,
An' feel me waarm youth's tinglin' morn,
The sweet air on me fyess,
As gazin' ower daisied leas
T' wheor the wool-clood rides
Majestically on the breeze
Frum hazy Simonsides.
The lass wi' waarm 'n' shinin' eyes
Aa wooed alang this way
'Neath magic moon-drenched faery skies,
Wus nivvor one mair gay,
Wus nivvor one mair gay.

The lass wi' waarm 'n' shinin' eyes
Aa wooed alang this way
Lang since hes brokken orthly ties,
But ivvry Spring's array
Is like the joy of hor retorn,
T' waalk the three green miles,
Hor gladness, luv 'n' youth reborn
Alang b' sivin stiles.

Speed

Aa stud in the lonnen. Ye sped by,
An', "Hoy, theor! Hallo!" Aa hord ye cry.
Aa hord ye laughin', yor flushed fyess shone,
Then aall in a jiffy ye wor gyen.
Awaa ye gan, then! Aa divvn't caor;
These brambles are sweet as onywheor,
The gowlden grasses are varry taall,
An' noo Aa can heor a linnet caall.
In the haathorn hedge sweet chorpin' Aa heor,
An' twined honeysuckle prospors heor.

Ye'll get sumwheor quick, but whaat de ye see?
A blur wi' nee detail---whey, yon's not for me.
Awa' ye gan, then, 'nd Aa divvn't caor;
Sa quick is yor motor yo're really neewheor ---
Neewheor's as lang as ye caan't see the things
That ling'rin' 'n' luvin' se happily brings.

Springan

Caa, caa, ye noisy craas!
Gobby a bord as ivvor waas.
Yon tree's se like a hoose o' lords.
Whaat's meant b' them donart words?
    Aa'm sure nebody knaas.

Abeun the hemmel, ower bye,
Wheelin' in the dappled sky,
Ye'll droon oot spuggies, lairks 'n' wrens,
An' set the laddies hoyin' styens
    Wi' yor feckless cry!

Like a kibble gyen amain,
Spring comes boondin' doon the lane,
An' buttercups 'n' pittlybeds
Lift thor bonny gowlden heids
    Aglistenin' wi' rain.

    The lambs are lowpin' doon the neuk,
Or, dunchin' yows, they thrust 'n' suck.
Aa'll skelp yon tyke that's barkin' lood
An' chasin' coneys i' the wood
    Wi' neethor airt nor luck.

The born runs deep in yalla mud
And at the bend hes kirved a jud,
Then doon the swally lowps 'n' reels
An' blethors, froths, 'n' cowps hor creels
    Se rollickin' in flud.

Doon wheor the willas hev thor fling
Fornenst the footbridge, catkins hing,
An' heor the tits are aall agabbor,
The robin playin' hitchy-dabbor
    Afore he tyeks t' wing.

Belaa the knowe the slope's ablaze
Wi' saffron broom 'n' bluebell haze,
An' heor the stallion whustles oot
An' raises high his gyepin' snoot
    In statuesque amaze.

The peewit's cry aches ower the field
Aall furrowed for a bagey yield,
An' stottin' doon the lonnen's ditch
The dronin' bummlor powks his snitch
    In dusty gowld concealed.

Wi' musky yarbs the air smells fine,
The low shines softly 'n' benign,
The arth wears resurrection's smock
For chthonian dreams the noo hev brock
    Amang the eglantine.

Spring Cleanin'

When Aa forst clapt eyes on yon lass,
Fate's bells began t' ring,
And, aw!---Aa hord thi anthem that
Jist seein' hor cud sing;
It med us buy sum eftor-shave
An' trim me tatty locks,
An' bath mesel' wi' scenty soap,
An' change me sweaty socks.

The Spuggies

Aw, little hairts se bravely waarm,
Aw, little voices chorpin' sweet,
Wi' plain endurin' hamely charm
Ye squabble roond this luved retreat.
Like mingled voices of a lynn
In flight doon ower the juttin' rock,
Yor garden chorus cums within
Me sleep this morn, its spell is brock,
And Aa lie quiet, listenin' heor,
Contentment seepin' in me mind,
And aall hyem's things that Aa luv deor,
The quiet joys of human kind,
Aa knaa they are the common things
That gem a plain life's diadem.
Familiarity aye brings
The things that mek a hoose a hyem.

The Sputniks

Folks may speak in torms of numbor,
In the coin of time 'n' space,
Of quaantity 'n' quaality,
An' yit miss the spheors of grace---
Of position 'n' direction,
Of movement 'nd of speed,
An' frum these concepts they can mek
Theor doctrines 'n' theor creed.

But aall that questin' thowt can knaa
Across the cosmic stage
Will not explain the spirit's calm,
Nor Luv's vast pooer gauge.
Yet reit across this trubled globe
Luv's services can prove
Aall men can be in orbit
Wi' the Sun o' cosmic Luv.

The Stocks

Noo luk at him, the thievin' sod!
He's sinned agyen Aalmighty God!
He whustled on a Sunda morn!
He hunted rabbits in the corn,
And in the village gardens prowled
At midneit, but a waatchdog growled
An' folks com oot 'n' grabbed the thief.
Noo in the stocks he tyeks his grief.
Aye, luk at him, the thievin' sod!
He's sinned agyen Aalmighty God!

Storm

Ne cobles on the seashore
But fishes in the sea,
Angored brikkors corlin',
Wild winds in enmity;
Rainin' doon the sunset,
Tattored cloods atrail,
Gulls aloft aall screamin',
Slantin' doon the gale,
Crab-pots' floats abobbin'
Oot on the white-capped bay,
Fishor-wives hev gyen t' chorch
Theor t' kneel 'n' pray.

The Styens

Leuk at these styens;
Theor's hist'ry written theor
That time hes not erased. Wi' prideful care,
Sum lang-deid Saxon hands, once strong 'n' deft,
Hev hewed them frum theor grass-topped ootcrop cleft,
An' wiv a crude tool shaped them fower-square,
Intendin' they should be forivvor mair
Snug in the waalls of consecrated space,
In faithful tribute t' etornal Grace.
An' noo in spite of ravages of Danes
An' Scots, a moss-luved abbey waall remains
In memory of a Saxon's prideful care.
Let us aall keep that vortue ivvor mair.

Success

Aa'll nivvor find success, Aa doot,
For Aa've ne time t' rush aboot!
Good reason bids us sing 'n' play,
For lang neit follas wor short day.

Sun-Up

Alen Aa've clutched smooth pebbles in waarm hands
And, haaf tornin', horled them inta neit,
As barefooted Aa roamed forsakin sands
Awaitin' theor the dayspring's seunist leit.
Little wavelets raced t' tingle me feet
An' deeply breathin' wettors grew mair bright
As oot frum wheor the skies 'n' wettors meet
Dawn its forst tintin' hoyed, the purest white.
The purest white, 'nd ower aall the sky,
Advancin', as time t' the day gov borth,
As if a god wi' oceanic sigh
Noo encased in a bright porl his deor orth.
Then abeun it the dawn's reed fingors wor seen,
An' seagulls of gowld wheelin' in atween.

The Swain

Aw lass! Yo're keel 'n' shy as owt cud be.
Are ye afeared? Luv, rest yorsel' in me.
Ee, but Aa luv ye, luv ye, Betty Jane!
Me need for ye's a throbbin', honeyed pain,
And Aa'm a lowpin' fish tossed on the beach,
Tormentin' surflets jist abeun me reach.
An' yo're the sea of boondless joy for me,
And Aa could droon me sowl's dumb pains in ye.
Howay, we'll rest heor on the daisied floor.
Ye'll feel me hairt's luv thumpin' on yor door.
Though sun 'n' moon 'n' stars should aall tyek flight,
Ye'll sigh 'n' knaa wiv us aall things are right.

Switchordoon Witch

A witch once dwelt at Switchordoon
Wheor ye can waalk frum Wooler Toon.
Hor cat on dark neits still is mewin'
Fornenst the ash trees neor the ruin.
Aye, ivvrybody feored yon witch
An' swore she wus a hairtless bitch.
Mebbies it's true, but folks noo say
The cat's ghost wilna gan away,
And if hor hairtlessness wus real
Hoo cud a cat luv hor se weell
That through the yeors forivvor mair
The poor thing's grief is still se sair?

Teors

Aa hev hord a mournin' soft
Amang the elmtree leaves
When the leit's still dim aloft,
An' still the neit wind grieves
Amang the rushes on the brim
Of the invorted sky,
An' the cockerel soonds his dim
An' distant harald cry.

An' theor while the grey ghosts of neit
Drift silently away,
Aa've hord the trillin' blackie greet
The resorrected day,
An' thowt, heor frum the neit's dark feors
The blissid day's reborn,
And in me hairt oppressed appeors
The high joy of the morn.
So neit 'n' day, for ivvry joy
The hairt must pay its toll,
An' teors are given us t' wesh
The windas of the sowl.

The Teyd Has Ebbed

The teyd has ebbed, the livil sands are wet,
And Aa can waalk reflected hivvins yit
Amang the pale 'n' scintillatin' stars.

Teyds

But for the winds that scud the cloods in flight
The fleein' moon wad be a fixtore theor.
But for the intorventions of the neit,
Of stars serene Aa wadn't be aware.
Noon aall the time wad be monotony
T' wilt wi' weariness the flooer array,
An' high-up spacious poems Aa wadn't see,
The cumens 'n' the gannins of the day.
An' so me luv will hev its joy or woe.
Ye'll knaa its seemin' changeability.
Its ardour is a sea t' ebb 'n' flow
An' yit still howld its deeps etornally.

Time

Theor is ne measurin' etornity,
　　Ne hoorly intorval's melodious chime,
Ne tick-tock hairtbeat of biography,
　　Ne process of succession men caall time,
For time is man-devised t' mark the flight
Of wor swift homin' inta endless neit.

An' life is short, aalthough its art be lang;
Theor's not much time for owt but
Rhyme 'n' Sang.
　　So Aa'll jist tyek etornity for granted,
Act 'n' remain like one that must belang
　　In endless vistas.

Tradition

T' ease the ancient bordens of wor fate
The owldtime minstrels wad theor tales relate,
An' with spell-bindin' language of the hairt
And aall the cunnin' of theor practised art,
Wild histories 'n' records they wud prove,
The tales of valour, mystory 'n' luv.
An' listenors in enthraaled cumpany
Dreamed through events of pride 'n' chivalry,
Of sacrifices for a freedum deor,
Of conquests, of grim tortures, of dark feor,
Of greed, of ruthless plots 'n' treachories
That aall beset wor noblest loyalties.
Cry lamentations! Whaat a sorry fate
Wus boond up in these tales of luv 'n' hate
Ower the spans of time. A valiant rage
Is writ in blud across each hist'ry's page.
Aye, let it be that aall tiday's decisions
Hev aall the quaalities of wor traditions
An' charactor. Let ne influence mar:
Becas of whaat we hev been, we still are!

Tree

Dumb, but for lang contented sighs,
Shieldin' 'n' soothin', healin' 'n' wise.
Sormon t' study, strength t' embrace,
Lord of the landscape, signpost t' grace.

Two Men

One man is nivvor less alen
Than when nebody's neor,
But nowt but hees aan cumpany
Dis the tother feor.
He gallops wildly ower the leas,
Drunken wi' jowltin' speed;
The tother heors 'n' feels 'n' sees.
Each setisfies hees need.
But tell us truly if ye can,
Whee dee ye think the richor man?

Up Aheight

Often Aa've climmed alang slantin' runs
Up onta this wind-blaan croon
T' gaze ower wiv ardent study
Luved contours, 'n' lookin' doon
On a patchwork scene of little fields
Ower the levels 'n' hills,
An' cleft b' an ancient tree-luved stream,
An' twinklin' impetuous rills,
A need t' find meanin' in it aall
Beset us wi' porsistence,
Till Aa set eyes on a reachin' spire
Abeun the foliaged distance,
An' felt, whethor true or faalse wor creed,
Wor traditions hev surely proved
Meanin' is plain in the hairt's deep need
For the tried ways of life we've luved.

Vandal

Aa shuddor when Aa look inta yor mind.
Theor seems nowt theor akin t' human kind.
When ye snapped off yon tree Aa cud hev cried.
Yor manhood theor committed suicide!
Jist think o' whaat that babby tree cud be;
A thing of joy for lang posterity.
The styen ye hoy brings darkness oot of hell.
Ye've gyen 'n' smashed a leit within yorsel'.
Look at yorsel', poor lad, 'n' ye'll see theor
A reasonless insanity laid bare.
Scot, Dane 'n' Norseman wor the enemy,
But they wor not as reasonless as ye.
Ye are wor heirs, wor hopes, wor weell-luved kin;
Ye shouldn't be the enemy within!
Aw, spare yon phonebox, leit, shopwinda, tree!
Man's a creator! Whaat dis that mek ye?

Wedded

Aa cudn't be apairt frum ye.
Me luv's deor luv, it cudn't be,
For lassie sweet 'n' flooer faor,
Aa close me eyes 'n' ye are theor!

An' when aall's silent Aa can heor
Yor sunshine laughtor streamin' cleor.
Advorsities cum sweet t' prove
The mormored pity of yor luv
Like hummin' breezes frum the skies
Softly t' bid me spirits rise.
Me sleep's still t' yor hairtbeat tuned
And endless dreams t' ye are boond.

But aw, each morn when Aa awake,
Once mair Aa think me hairt'll brik.
Me sowl writhes 'neath a mem'ry's lash ---
Yor tendor body's only ash.
Then lassie sweet 'n' flooer faor,
Aa close me eyes 'n' ye are theor.

Whaat We See

Each of us'll measure this world's man
Accordin' t' the limitations theor
Within hissel',
An' t' the saint
Aall men are good --- unique,
Desarvin' of the luv he bears for them.
But t' the self-sufficient ---
He losses hissel' in the darkness
He hissel' hes made
Standin' in his own leit!

When a Northumbrian Speaks t' Ye, Ye See

When a Northumbrian speaks t' ye, ye see,
He's taalkin' in the tungue o' history.
He disn't wave wi' wild gesticulations;
Ye'll knaa jist whaat he means bi intonations.

Whitley Bay

A joy-decked thing, a bairn's anticipation;
Hungry imagination, high elation.
An' when wor bairn had filled hor piggy bank
Till shakin' it wad ne mair mek it clank,
Aall doon wor lane she'd chattor 'n' she'd boast
Cum Setorda Aa'd tyek hor t' the Coast.
Lang as Aa live Aa'll not forget the day
Wor Polly Anna went t' Whitley Bay.
T' ye yon place is jist a tourist toon;
T' hor a magic city on the moon!
Ye mebbies try t' fend against the Fates,
An' fret 'n' grumble ower moontin' rates,
An' see scant beauty in the daily roond ---
Half deid 'n' blind t' ivvory sight 'n' soond
That howlds romance 'n' charm. Preoccupations
Wi' life's grim roond of petty agitations
Beclood the grace of wide realities,
The heiroglyphic poems writ in the skies,

The changin' shapes 'n' moods of sand 'n' sea,
An' flooer bedecked, the healin' greenory,
Brave bords that dip 'n' wheel 'n' strangely cry,
The mystories in ivvory passer-by,
The truth 'n' beauty in the sowl's porsistence,
The mission, trend 'n' theme of yor existence.
But Polly Anna's dreams wor truly real.
She had the spirit's freedum that can feel
Hor kinship wiv a vast etornity,
Wiv aall the spells o' mystic poesy
That made the bingo staall Aladdin's Cave,
The cornet man Wizard of Oz t' crave,
The hungry gull a bord o' paradise,
The bleached clam shell a prize abeun aall price,
The lispin' sorf the hairt's celestial song,
The bubbled foam, elusive pixie throng,
Each pebble smooth, t' hor a priceless gem
Cast up frum some far distant fairy realm,
Cool wet sand, glad childhood's fondest prize ---
The stuff t' build dream castles in the skies
Wheor innocence could dwell 'n' dream lang dreams,
True Whitley Bay's realities, it seems!
Aa think of Polly Anna and Aa grieve
T' think Aa've lost the pooer of mek-believe,
T' see in aall the lures of Whitley Bay
The signposts t' a nobler, richer day.
If ye cud see through Polly Anna's eyes,
This mad world's grim faalse values ye'd despise,
An' rid it of aall greed 'n' strife 'n' shem,
An' try t' build a new Jerusalem.

Wild Geese

Away, ye free and eagor lot!
Honk honk! Whaat de ye mean, honk honk?
Are ye laughin' at me left behind?
Aw, silly geese, Aa'm fleein' wi' ye
Abuv the cloods on me mind.

Wildorness

Lassie, se pale, Aw, wud ye be
Of brave wild things aware?
Howay ower the moor wi' me!
Wek up noo! De ye dare?
Howay, let's away ower the moor
T' win the white day's grace,
An' cannily hand in hand w'll be
Alen in freedum's space---
Ne roads, ne signposts t' the world's
Conventions 'n' decrees,
An' ne square sky in prisonin' room
Of sair conformities.
The deep ruts of wor day decry,
The screens t' freedum tattor,
The lapwing's 'n' the corlew's cry---
Jist these 'n' wor waarm chattor.
Wild thyme, eyebright, wild chamomile
The cool wild wind'll scent,
And Aa can say wild poetries
Of faithful luv's intent.
Aa'll breathe on me harmonica
Luv plaints, and as Aa blaa,
Then ye'll be glad, 'n' ye'll be sad,
An' ye me hairt'll knaa.
Wild barry juice t' stain yor lips
Wi' luv'll seun be taken
T' print me luv upon yor neck,
An' luv'll luv awaken.
An' when we find a heathor pool,
And, tinglin', wesh wor feet,
W'll laugh 'n' soond a wild duet
Theor in luv's wild retreat.
The escapade'll see ye fair,
Yor ivvry thowt a flight
Wi' words t' born on streamin' air
An' set yor hairt alight,
An' pink yor cheek 'n' gleam yor eye,
An' mek yor smiles caresses,
The kisses fond haaf-hidden by

Fragrant wind-blaan tresses.
Fornenst high sprays of silvor borch,
The silvor grass grows high,
Wheor close 'n' cumfortin' we'll sorch
The white reach of the sky
For little dreams 'n' little sleeps
Wi' kisses intorsporsed,
An' drousy mormorin's luv keeps
Till kisses are rehorsed.
In whinin' flight the eagor wind
'll seek through reeds asway
The ghosts of aall the uthor luvs
He fund in springtime's day,
An' theor we'll be, jist ye 'n' me,
Lost in a silvor bed,
An' he'll blaa gowlden leaves in glee
Drunkenly owerheid.

The Willa Tree

The wind's blaan doon the willa tree,
And aw, Aa feel se sad,
For heor Aa romped 'n' fished 'n' swum
When Aa wus jist a lad.
Or lazin' undorneath the tree,
Aa waatched the breeze-flicked leaves
Aye mek the sunleit glint 'n' flash
An' twinkle. Me hairt grieves
Rememb'rin' once upon a time
Wi' Jinny Aa had fun,
An' chased 'n' kissed hor on the neck,
Which Aa should not hev deun.
For Jinny struggled t' be free
An' fell inta the stream.
Aa fished hor oot. She looked se drab
Aa cudn't help but scream
Wi' marriment. A funny thing,
For Aa wus aaful sorry.
Aa telt hor that; she glared at us,
And Aa began t' worry,
Cas Jinny wus a bonny lass;

Aa cud hev luved her weell.
She nivvor spoke t' me agyen,
An' that's whaat meks us feel
Se sad. She waanted t' be kissed,
But nivvor cud forgive
The laughtor that hor faall provoked
Lang as we both sh'll live.
Aw, Jinny! Yor wet frock seun dried,
But roond wor willa tree
The lads 'n' lasses play ne mair
Like once ye did wi' me.

Winnie Over The Wansbeck

Aa wunna gan ower the wettor agyen
To woo the winsome Winnie,
For thi sight of hor noo gives us pain,
Wi' hor flooncin' flooered pinny.
An uptilted chin, hor neck lily white,
An' hor reed close-cuddlin' frock,
An' hor een that puts yor wits t' flight,
When they glistor 'n' tease 'n' mock.
Aa rowed ower the rivor ivvory day
Me winsome Winnie t' woo,
She'd cum wi' me 'n' me hairt wus gay,
There wuz never a luv mair true.
And up the rivor Aa'd row me boat
Wi' me Winnie sittin' aft,
Oh, an' on hor bonniness Aa'd dote,
Though she'd aye be actin' daft,
Hor broon hair blaain' in the breeze ---
It med us luv hor bettor,
Though she'd rock the boat 'n' laugh 'n' tease
An' splash me fyess wi' wettor.
Then a toonie cum on a haliday
Wi' a fast boat, motor-driven,
An' seun me Winnie was ticed away,
For she thowt that speed was hivvin.
And oh, when Aa rowed across one morn
Me ticker sunk like leid,
For she left us waitin' aall forlorn,

Time she selt horsel' ti speed.
Noo the Toonie's gan 'n' Winnie'll caall
An' wave across the rivor.
But Aa shek me heid 'n' let her baall,
Cus Aa nivvor will forgive hor.
Aye, me hairt may hold an achin' pain
But Aa'm not ganna be a ninny.
Aa winna gan ower the wettor agyen
To woo the winsome Winnie.

The Witch

We've set the dorty witch afire.
She's put a corse upon the squire,
An' he's laid up noo wi' the goot,
An' mattory pimples on his snoot.
For why? He galloped ower hor kitten
An' killed the thing. An' noo he's smitten.
And aall wor tetties hev the blight
Since lads bornt doon hor cree one night.
An' so we've bornt the sneaky bitch.
Nebody's safe wheor theor's a witch.

Wor Chorches

Whaat gov' t' life a reason and a rhyme,
Wor mony chorches seem immune t' time,
An' wheor once worked St. Cuthbort 'n' St. Bede,
These ancient chorches sorved the hairt's deep need.
T' visit them, wi' faith or not, ye see
Theor aura cloak ye with humility.
The one hard by the Bothal Castle gates
Still for the faithful hairt in peace awaits,
And even time's destructiveness hes lent
A tuch that meks the viewer revorent.
The Castle 'n' the Chorch heor show wi' merit
The two sides of wor mystic human spirit.

Wor Gaffer

Yon bloke is elwis on t' us!
Lad, ye shud heor him bray!
Bossin' us aboot, ye knaa,
Throughoot the livelang day.
He staalks aboot in his trilby hat,
Porched on his baaldy knob,
His chollors jogglin' wi' theor fat,
An' his pipe stuck in his gob.
An' his pot-belly bulgin' oot
Like a mare that's due t' foal,
And a nose as reed as a baboon's rear
When it's skimmin' up a pole.
He yells, "Hey, ye! Noo, get stuck in!
Man, yo're not yit pensioned off!"
Aye, it's indecent! It's a sin,
The way he'll corse 'n' scoff.
His high blud-pressure's a deeth-knell,
And aall us workin' gang
Are hopin' that it weell may swell
Till he gans off wiv a bang!

Work

Let not me manhood be daily subdued;
Each caallin' howlds greatness when greatly porsued.
If luv be the sponsor in tornin' a sod,
Wey, this is true greatness, this sorvice t' God.

The Worm

Noo tyek a garden worm --- ye'd not agree
In sum ways it's lots clivvorer than ye.
Ye howk it up 'n' cut the thing in two,
But divvent think that puts it in a stew.
A thing like that wad fettle ye, Aa doot;
Each haaf of ye cud nivvor get aboot.
But sich bisection gives the worm ne bother;
One haaf gans one way, 'nd one the tother,
An' when they meet they'll mutter as they stare,
"Aa'm sure Aa've seen that fyess afore sumwheor."

Wor Tissie

Hup-two-three-fower! Hup-two-three-fower!
The missus is elwis apt ti tyek the gee.
Ye nivvor knaa whaat wor Tissie's ganna dee!
Though Aa'm elwis in hot wettor wi' the wife,
Aa've bin fond of her through aall me blissid life.
She has far mair brains nor me, the clivvor bitch,
An' she myeks wor hyem life run wi'oot a hitch.
Not coontin' when Aa argee --- jist a little ---
An' then in time, lad, she's up 'n' teun the kittle,
Up casts the time when Aa got ti actin' fond
Cuddled 'n' slipped, 'n' wuh both fell in the pond.
An' that neet when in bed Aa want a cuddle
She hoys the claes aroond in sic a muddle
An' torns aroond wi' sic a heavin' thump,
An' then plants her frozzen feet against me rump!
An' nivvor chorped until, next day at tea,
She says, "Aa've got some nice cream cyeks for ye."
Hup-two-three-fower!
We've been married noo --- let's see --- nigh on five yeors,
An' there's one thing elwis puts wor lass in teors.
It's when she sees hoo fond bairns are of me,
An' me of them, that's when she tyeks the gee.
An' when hor neb is reed wi' bein' blaan
She'll cry, "We need a toddler of oor aan.
Whaat's wrang wi' me? Aa've deun nowt ti prevent
A blessin' that would aye be hivvin-sent."
Poor lass! That's hoo she yelpt aboot hor fate.

Wey noo, one mornin', puttin' up me bait,
She's deethly pale. "Ee, look here, mate," Aa said.
"Ye look haaf-deid, noo get yorsel' ti bed."
Ye nivvor knaa whaat wor Tissie's ganna dee.
She gives a giggle 'n' then she says ti me,
"Away, ye feul, stop mekkin sich a sang,
If ye want ti knaa, Aa think A've faallen wrang."
Aa dances hor roond 'n' roond, Aa felt that glad,
An' wundored if it wud be a lass or lad.
But aall me glee wus seun put up the spoot.
She laughs 'n' cries, 'n' then --- aw deor! --- conks oot.

An' that wis the day Aa nivvor got ti waark,
Feul that Aa waas, it waasn't the time ti lark.

As weeks went by, Aa played me guessy gyem,
"Lassie or lad?" 'n' "Hev ye thowt of a nyem?"
But Tissie jist says, "Aa'll tell ye when it cums."
Yit sails aroond serene, 'n' sings 'n' hums.
Until at last they teuk the wife away,
And Aa'm aall of a dother aall that day.
Hor mother cum oot ti exorcise hor gob,
An' says ti me, "It's a hitty-missy job."
Whaat a relief when Aa went ti see the wife,
An' fund she nivvor looked bettor in hor life.
"But wheor's the bairn?" Aa says. She leuks that queor
Then giggles 'n' laughs before she sheds a teor.
An' muttors, "Theor's mair nor only one, ye see."
"Twins!" Aa yells, 'n' the norses laughed oot lood
And Aa just stood 'n' grinned, Aa felt that prood!
But nebody knaas whaat Tissie's ganna dee.
There waas mair nor one 'n' mair nor two or three.
Hup-two-three-fower! Hup-two-three-fower!

Wundor

Sum things in hairts, they nivvor can be telt.
They'll elwis be a wundor;
Such wundor bein' inexplicable,
Uncomprehended in the coin of words,
But given as a sort of recompense
For aall the stress that wins humility.

Benediction

Aa wish ye gud cheor,
An' freedom frum feeor,
An' sickness 'n' sorra 'n' truble.
May yor hopes aall be high,
Yor stanch freends multiply,
Yor luv for yor neybor be duble.
Gud health may ye find
In body 'n' mind,
Wi' conduct 'n' grace t' presorve it.
In gud grace may ye graa,
Aall His luv may ye knaa ---
An' may ye try hard t' disorve it.

The copyright for the final poem in this collection, Benediction, was assigned by Fred Reed to the Northumbrian Language Society for use at the Reed Neet anniversary supper. This book was launched at the 1999 Supper, held on Saturday May 1st at Woodhorn Colliery Museum, Northumberland. A special poetry and Northumbrian pipes performance piece for the evening in honour of Fred Reed was commissioned by IRON Press from poet Katrina Porteous and piper Chris Ormston.

Glossary

Abeun: above, beyond
Agyen: again
Ahint: behind
Airt: sense, mood, place, direction
Alen: alone
Ax: ask
Aye: yes; always
Ayont: beyond
Bagey: turnip
Bait: a meal
Bale: evil
Batten: feed well
Bedighted: adorned
Beuk: book
Beut: boot
Blackie: blackbird
Blent: blended
Blethor: chatter, talk without sense
Blin: to stop
Bludin': bleeding
Bollen: swollen
Bowk: belch
Bray: beat, thrash, pummel, thump
Breeks: trousers
Brikkors: breakers
Bubble: weep
But-'n'-ben: two-roomed cottage
Byens: bones
Canny: nice, pretty, kind, good, O.K.
Cantle: corner, brow
Chollor: double chin
Chorl: churl, farm hand
Chthonian: (Classical) springing from subterranean depths
Claes pegs: clothes pegs
Clarts: mud
Collops: pieces of meat, sometimes salted;
Collory raa: row of mining cottages
Cop: catch
Cowped its creels: did a somersault (literally upset its baskets)

Cowpin': falling, upsetting.
Crack: talk, gossip
Cree: wood hut, shed
Creel: basket for fish or container for coal
Croudie: scalded porage oatmeal
Cuddy: donkey
Dander: saunter
Dayseyes: daisies
Donart, donnart: fool, foolish
Dowp: posterior, buttocks
Dowter: daughter
Dunch: bump
Dunchin: knocking into
Een: eyes
Fall wrang: become pregnant
Fettle: state, condition
Fornenst: opposite to
Gammy: lame
Gannen, gannin': going
Ganny: grandmother
Geason: scarce
Gimmor: sheep, young ewe
Gnaas: gnaws
Gobby-becks: turkeys
Gobby: vaunting, boastfully verbose
Gollarin': shouting, hollering
Gowfed: struck
Gowpen: double handful
Grass-ian: grazing
Green bents: coarse green grass
Gyen: gone
Gyep: gape
Hack: cut, chop at
Hap: wrap, cover
Hemmel: open-fronted animal house
Het: hot
Hitchy-dabbor: hop-scotch
Howay: come along!
Howk: dig
Hoy: throw
Hyem: home
Jogglin': shaking

Keel and shy: nervous
Kibble: waggon
Kine, kye: cows
Kirved a jud: eroded a curve
Knacky-kneed: knock kneed
Knowe: hill
Limned: drawn, sketched
Linn: waterfall
Lintie: linnet
Lonnen: lane
Loon: lad
Lot of blaa: empty talk
Low (rhymes with now): light
Lowpin': leaping
Lud-brained louts: idiots
Midden: dung-heap; open toilet
Mizzlin': drizzling
Moegden (Anglo-Saxon): maiden
Mordorpeth: murder path
Neb: nose
Netties: earth closets
Neuk: corner
Nyep: nape
On the wag: playing truant
Oxter: armpit
Pethside: grass verge
Pittlybeds: dandelions
Pixylated: dazed, bewildered
Plodge: paddle
Purlin': rippling, murmuring.
Reivors: border raiders, rogues
Sarks: shirts
Shoon: shoes
Shriven: forgiven of sins
Sic, sich: such
Skelp: hit, strike as a punishment
Sleck: sediment, foul smelling black mud
Slumeren: slumbering
Smeech: smoke
Snoot: snout
Sod: depraved person
Sortitude: certitude, certainty

Sparkers: lovers
Springan: Spring season
Spuggies: sparrows
Stotted: bounced
Stown: stolen, crept
Swally: (mining) stratified depression
Tetties: potatoes
Teum: empty
Teun the kittle: taken a huff
Teun: taken
Tewin: exhausting, wearing
Ticed: enticed
Tig an' chasey: game of chase
Time: while
Time yit: meanwhile
Tittle: little
Toteroad: travel way
Tyek the gee: take the huff
Tyke: dog, rascal
Varnigh: very nearly, almost
Went away t' place: went into service
Whaup: curlew's cry
Wheen-luv: small child, little one
Whisht: be quiet!
Whiskorando: man or animal with large whiskers
Wyandottes: hens
Yakkor: bloke, pitman, also hooligan
Yarbs: herbs
Yarkin': pulling, tugging, good hiding
Yell: shout; whole
Yett: gate or way through
Yows: ewes